SGRECH RHYFEL

Sgrech Rhyfel

straeon byrion
gan

Martin Huws

Argraffiad cyntaf: Hydref 2001

Rhif Llyfr Safonol Rhyngwladol:
0-86381-756-4

Cyhoeddir o dan gynllun comisiwn Cyngor Llyfrau Cymru

Cynllun clawr: Sion Ilar

Argraffwyd a chyhoeddwyd gan Wasg Carreg Gwalch,
12 Iard yr Orsaf, Llanrwst, Dyffryn Conwy, LL26 0EH.
01492 642031
01492 641502
llyfrau@carreg-gwalch.co.uk
Lle ar y we: www.carreg-gwalch.co.uk

Er cof am Dad a Mam, Ieuan a Dorothy, y ddau o Lanelli a symudodd i fyw i Gaerdydd ar ôl yr Ail Ryfel Byd.

Diolchiadau

Yn y lle cynta diolch i Dafydd am fy annog i feddwl o ddifri am y busnes sgrifennu. Diolch i Harri a Manon am eu sylwadau adeiladol ac i Wasg Carreg Gwalch am eu gwaith graenus.

Ond yn fwy na neb, diolch i Nest am ei hamynedd.

Martin Huws
Ffynnon Taf
Medi,2001

Cydnabyddiaeth

Cafodd *Cyfarfod Argyfwng* a *Dau Gyfandir* eu cyhoeddi yng nghylchgrawn Taliesin.

Cynnwys

Wrth fynd heibio

Tu fas i'r gwesty newydd roedd cerflun mewn hanner cylch fel grisiau crwn, troellog. Roedd yn deirochrog ond ddim yn driongl. A'r un lliw â choesau menyw â lliw haul ffug.

Ar y dde roedd blwch gwyrdd tywyll fel cist trysor ac arno gerdd Gymraeg. Fi oedd yr unig un i stopio a sylwi arni tra rhuthrai'r cerddwyr heibio i'w swyddfeydd, rhai'n hwpo eu hymbrelau fel pistonau trên.

Er mor gain oedd y llythrennau ar lechen, meddyliais nad oedd pwynt dibynnu gymaint ar eiriau statig.

Yn y gwaith, meddyliais am beth oedd wedi digwydd yno drwy'r dydd. Efallai bod babis yn dringo arno neu drempyn yn stopio yno i gael ana'l ar daith na wyddai ei diwedd.

Yn yr hwyr, wrth fynd heibio, ar y ffordd yn ôl i'r orsaf, roedd crwt deg oed yn sgrialu, yn hyrddio drwy'r awyr ar ongl gyffrous ei freuddwyd ac yn glanio ar y geiriau.

Y geiriau oedd yn treulio'n araf fel ysgrifen bedd mewn gwynt a glaw.

Sgrech heddwch

Ar lan Môr y Canoldir cerddai'r ddau law yn llaw. Roedd y môr yn llonydd ac fel hyn yr hoffai Dennis i'w feddwl fod yn wastad.

Y chwe mis diwetha oedd y rhai gorau yn ei fywyd: cwrdd â Lisa mewn tafarn yn Nhyddewi, carwriaeth sydyn a dyweddïo wythnos yn ôl. Er gwaetha'r penderfyniadau sydyn, roedd sicrwydd o dan yr wyneb fel craig safadwy. Yna hedfannon nhw i Sbaen am wyliau pythefnos, ac mewn mis bydden nhw'n priodi yn yr eglwys gadeiriol.

Anadlodd ana'l o ryddhad; roedd yn falch fod Lisa yn ei ddeall ac roedd yn gobeithio fod yr hunllef wedi troi'n dyrfedd isel.

Edrychodd Lisa arno'n ddireidus, gan gofio pan welodd e am y tro cynta ym mar *Y Dug Efrog* ar noson gêm ryngwladol. Roedd ei ffrindiau wedi meddwi ac yn mynd dros ben llestri ond roedd Dennis yn sefyll yn dawel wrth y bar. Ar y pryd, roedd hi'n credu fod ganddo gryfder mewnol. Roedd fel derwen yng nghanol coed ifanc mewn storm.

Gwenodd e'n wanllyd pan gododd awel o'r môr.

'Wn i beth sy'n mynd drwy'r meddwl 'na,' meddai hi.

'Dim.'

'Ti'n cofio beth wedais i ar yr awyren? Fod hwn yn gyfle . . . inni nabod ein gilydd yn well?'

Pan sibrydodd hi yn ei glust chwarddodd Dennis a phenderfynodd hi chwarae gêm.

'Awyr.'

'Las.

'Bad.'

Oedodd. Tynnodd ei neisied mas o'i boced, yn ymddiheurol bron.

'Rwy'n flin. Dwi ddim yn moyn sbwylio'r gwyliau. Mae'r gwres hyn yn ofnadw.'

Ymlaen â nhw, nes cyrraedd diwedd y traeth a dringo llwybr troellog serth. Edrychon nhw'n ôl ar y bae oedd fel hanner cylch euraidd a'r môr yn las ddwfwn. Pan gyffyrddodd hi â gwaelod ei gefn, tynnodd yn ôl yn sydyn.

'Fy arwr bach i,' meddai hi.

'Paid.'

'Ti'n llosgi'n rhwydd.'

Roedd Dennis yn edrych ar y môr â golwg bell yn ei lygaid. Cofiodd pan oedd yn grwt deg oed yn helpu ei dad i gynnau tân fore Nadolig yn y stafell fyw a'i lygaid yn pefrio wrth dynnu bant y sgrîn tân a gweld y tân yn rhuo'n fuddugoliaethus.

Diawliodd ei hun wrth gofio rhywbeth arall. Er eu holl rym, roedd ef a'i ffrindiau wedi bod yn ddiamddiffyn, mor denau â chroen.

'Wyt ti'n mwynhau dy hunan, Dennis?'

'Odw.'

'Oes amcan 'da ti pa mor hapus wy' i? Edrych arna' i.'

Yn aml hoffai pe bai Dennis yn gollwng ei darian a dweud beth yn gymwys oedd ar ei feddwl.

Doedd dim ystyr i dymhorau, meddyliodd ef. Roedd y gwres wedi bod yn llethol er taw Mehefin oedd hi. A fe a'r ychydig oedd yn weddill oedd yn gorfod cymhennu, dodi'r olion mewn bagiau plastig du. Dyna oedd y drwg – yn ei hunllefau ni allai glymu'r bagiau du.

'Ble awn ni heno?,' meddai hi.

'*Ristorante San Jose.*'

'Iawn. Cyfle iti ymarfer dy Sbaeneg?'

'O'r gorau. Dwi ddim yn siarad yn dda.'

Doedd Lisa ddim yn deall. Er bod y môr yn wag, roedd Dennis yn dal i chwilio.

* * *

'Beth am fynd i lawr i'r dre?,' awgrymodd Lisa amser brecwast. Cytunodd Dennis, ond nid i'r amgueddfa na'r orielau yr aethon nhw ond i'r siopau, ac erbyn dau o'r gloch roedd Dennis wedi danto.

Addawodd Lisa taw'r seithfed siop anrhegion bach mewn awr a hanner fyddai'r ola. Eto roedd yn braf cysgodi rhag y gwres llethol oedd yn anodd i'w osgoi, meddyliodd Dennis. Canodd y gloch yn uchel pan agorodd Lisa'r drws. Safai'r perchennog – menyw fer, ganol oed, heb symud blewyn, a chenfigennai Dennis wrthi. Dywedodd Lisa ei bod yn chwilio am anrheg aur. Diflannodd y perchennog i'r stafell gefn am ychydig o funudau a gwenodd yn falch pan ddaeth yn ôl.

'Beth ti'n meddwl o hwn, Dennis?'

Medaliwn oedd e.

'Mae'n . . . iawn. Dere'n glou.'

Talodd Lisa'n sydyn. Roedd Dennis tu fas yn sefyll yng nghanol y pafin, yn sychu'i dalcen.

'Beth ddiawl . . . ?'

'Paid. Alla i ddim esbonio nawr.'

Roedd yr holl beth wedi digwydd yn ddirybudd, fel haul yn dallu rhywun drwy ffenest. Wrth i'r chwys ddiferu i lawr ei dalcen, roedd wedi cofio cân y gatrawd a'r meddwi bob nos Sadwrn:

'Ni yw'r bois cadarn, 'sdim byd yn maeddu ni. Byddwn yn para am byth'.

Ar ôl cerdded yn hamddenol ar hyd y traeth am

hanner awr daeth Dennis dros ei bwl.

'O's syched 'da ti?

'Ody'r Pab yn Babydd?,' meddai Dennis.

Chwarddodd y ddau a gafael yn dynn yn ei gilydd. O dan ymbarél fawr, goch tu allan i'r caffi ar lan y môr yfon nhw botel o Rioja'n ara'. Lisa oedd yn siarad fwya' tra sylwodd Dennis ar ba mor wyn oedd coesau'r Saeson a gerddai heibio.

'Ti ddim yn gwrando,' meddai hi.

'Rwy'n flin.'

Trodd yn ôl i edrych ar y dorf. Yn ei feddwl roedd yn estyn tâp mesur, yn cymryd hyd a lled effaith profiad a gafodd flynyddoedd yn ôl. Dychmygwch losgi eich bys bach, meddyliodd – dychmygwch y lo's ac yna lluoswch hyn filoedd o weithiau dros eich corff i gyd. Uffern dân.

'Mae'r seibiau hir hyn yn hala'r cryd arna' i,' meddai hi.

Llonydd yw'r fendith fwya' yn y byd, meddyliodd Dennis, a'r ymosodwr mwya' peryglus yw'r un o'r cefen sy'n dawel, yn glou ac yn annisgwyl.

'Potel arall?'

'Mae 'da fi well syniad,' meddai hi.

Wrth iddyn nhw gerdded drwy gyntedd y gwesty pum seren, gwenodd Lisa'n awgrymog. 'Nos da,' meddai'r porthor wrth estyn yr allwedd. Roedd yn bedwar o'r gloch y prynhawn.

Ar ôl cyrraedd y stafell wely ar y llawr cynta' gorweddodd Dennis ar y gwely dwbwl a darllen llyfr ditectif. Dododd y llyfr i lawr yn ddiamynedd. Roedd yn well ganddo stori lle'r oedd y ditectif yn datrys y dirgelwch bob hyn a hyn yn lle gadael y cwbwl tan y diwedd. Aeth Lisa i mewn i'r stafell ymolchi a daeth yn ôl ymhen dwy funud yn borcyn.

'Ti'n moyn fi nawr?'

Wrth iddi dynnu ei ddillad bant yn araf ac yn dyner, sylwodd ar y fedaliwn ar y gadair. Llithrodd delwedd yn slei i mewn i'w meddwl – Archentwr o filwr ar ei benliniau mewn ffos, a'i fedaliwn yn llac ac yn chwyslyd am ei wddf. Ar y medaliwn roedd wyneb Cadfridog a geiriau Sbaeneg ar yr ymyl. Roedd y ddau beth wedi digwydd yr un pryd – cadwyn yn cael ei rhwygo a bwled yn cael ei thanio.

Synhwyrodd Lisa fod rhywbeth yn bod. Roedd ei gorff yn dynn fel dryll wedi cloi a'i lygaid yn ei hosgoi.

'Sdim llawer o hwyl arna' i.'

'Iesu.'

Gwisgodd Dennis yn glou a cherdded mas o'r stafell. Cerddodd a cherddodd ar hyd coridorau'r gwesty. Am faint allai hi fod yn amyneddgar? Roedd hyn wedi digwydd ddegau o weithiau ers iddo gwrdd â Lisa. Damo'r holl beth – roedd fel saethwr cudd, yn gwbod yn gymwys pryd i daro tra oedd e ar goll.

Cerddodd drwy'r pentre heibio'r siopau a'r garej. Cerddodd am oriau nes cyrraedd mynydd. Doedd dim ots am y pellter – roedd ei feddwl yn dal i droi'n ôl i'r profiad, fel taflegryn yn glynu wrth darged, yn ddi-droi'n-ôl.

* * *

Wrth y ford frecwast roedd Dennis yn claddu ei ben y tu ôl i gopi ddoe o'r *Daily Express*, a Lisa'n llymeitian ei choffi wrth edrych yn fyfyriol ar y bae drwy'r ffenest. Doedd dim chwant bwyd arni o gwbwl. Doedd hi ddim yn deall; fis yn ôl roedd hi'n teimlo ei bod yn nabod Dennis ers deng mlynedd ond y bore 'ma roedd fel dyn dierth.

Gwellodd pethe ychydig yn y prynhawn. Aethon nhw i'r traeth, chwarae yn y môr a bolaheulo ar y tywod. Roedd e'n fwy siaradus a dechreuodd hi deimlo'n gartrefol yn ei gwmni. Pan oedden nhw'n sychu ei gilydd dywedodd hi fod ei mam a'i thad yn y cyffiniau y noson honno ac yn gobeithio cwrdd ag e. Ro'n nhw ar eu ffordd yn ôl o Algeria. Oedd e'n siŵr ei fod eisiau cwrdd â nhw? Nodiodd Dennis.

'Wnei di ddim fy siomi, wnei di?'

Gafaelodd yn ei llaw a'i gwasgu'n dynn ac amneidiodd hi'n ara'. Am chwech o'r gloch eisteddon nhw tu fas i'r tŷ bwyta a gofyn am ddau wydraid o win coch Rioja.

'O's arian 'da ti?'

Chwiliodd Dennis drwy ei bocedi ac yna cofiodd nad oedd wedi bod i'r banc y bore hwnnw. Chwarddodd y ddau yr un pryd.

'Rwyt ti'n dechrau ymlacio,' meddai hi.

Gwnaeth Dennis arwydd saethu dryll ar ei dalcen.

'Mae 'nghof i'n mynd.'

'Dennis, wyt ti'n becso am rywbeth?'

'Mas o olwg, mas o feddwl.'

A chwarddodd y ddau'n uchel nes i bob cwsmer arall droi i edrych arnyn nhw. Cododd Lisa, a'i hwyneb yn goch, ac aeth i nôl rhagor o arian o'r gwesty.

Gwenodd Dennis. Roedd yn teimlo'n well. Y diwrnodau gorau oedd y rhai pan oedd yn dihuno ac yn gwybod fod y tanio'n bell. Weithiau doedd dim dal ar yr hyn a allai ddigwydd. Gallai ei feddwl gloddio twll, amddiffyniad cadarn, ac yna yn sydyn . . . Roedd fel asid yn ysu metel.

Sylwodd Dennis ar y parau eraill o Ffrainc a'r Eidal yn sgwrsio nes eu bod yn ymgolli yn ei gilydd. A allai e wneud hyn? Byth? Edrychodd ar ei watsh – hanner awr wedi chwech. Roedd y tŷ bwyta'n agor am saith a chlywodd y cogydd yn chwibanu wrth baratoi. Os oedden nhw'n cael cinio â rhieni Lisa, byddai'n archebu pasta a thapas, ac roedd meddwl am hyn i gyd yn tynnu dŵr at ei ddannedd.

Clywodd wynt cig eidion rhost yn llifo'n ysgafn o ffenest fach y gegin a theimlodd bwysau ar ei fola a'i ysgyfaint. Gwelodd grwyn ei ffrindiau ar y Syr Galahad yn tasgu fel saim mewn sosban. Clywodd eu sgrechiadau gwallgof yn llosgi'n fyw a rhedodd i'r tŷ bach.

Dau gyfandir

Bangkok. Wyth o'r gloch y nos. Diawl, mae'r tacsi'n hwyr. Yr hewl i gyd yn wag a sylweddolaf fod neb 'da fi yn y byd – neb ond Dad, dyn eiddil yn gorwedd mewn gwely ar ochor arall y byd. Y lo's fwya' fyddai ei golli cyn ei gyrraedd.

O'r diwedd, daw'r gyrrwr a chario'r cesys ling-di-long ac yn fud i'r gist. Rwy'n edrych yn hurt arno. Bant â ni, a phum munud yn ddiweddarach mae'n pesychu.

'Pryd ma'r awyren yn gadael?'

'Un-ar-ddeg.'

'Chi byth yn mynd i gyrraedd mewn pryd.'

Rwy' bron â dweud wrtho i wasgu ar y sbardun ond mae bywyd yn rhy fyr. Beth sy' fod sy' fod. Daw'r sgwrs i ben a chanolbwyntia ei lygaid ar yr hewl fawr sy'n ymddangos yn ddiddiwedd.

Wn i shwt mae hi yng Nghymru. Maen nhw saith awr tu ôl Bangkok. Gellwch fentro fod Dad ar erchwyn y gwely, ei feddwl yn drydan i gyd, yn gwrando'n astud ar fwletin newyddion. Yn tsiecio fod pob stori'n gyflawn ac yn eu croesgyfeirio yn rhwydwaith ei gof. Yn gofyn a yw'r stori'n hollol newydd, a yw'r newyddiadurwr wedi ymdrechu i wthio'r stori ymlaen.

Rwy'n moyn closio ato. Ond mae holl dir Ewrop ac Asia rhyngof i a Dad. Dau gyfandir. Dyna pam y des i yma. Fan hyn mae'r dyfodol – y diwydiannau newydd. Mae Cymru ar ei hôl hi.

Galla' i gofio ei eiriau nawr. Os yw'r gwrandawr ar goll, mae'r stori wedi ffaelu.

Ar y ffôn neithiwr dywedodd y nyrs ei fod e wedi cael pwl bach. Ond fe ddaw dros hwn eto. Ychydig yn anghofus yw e. Henaint ni ddaw ei hunan. Mae'n wythdeg, ac wedi cyrraedd y llinell flaen.

Rwy'n edrych ymlaen at gwrdd ag e achos mae cymaint 'da fi i 'weud er bod y cywilydd yn aros fel gwaddod ar waelod gwydyr peint. Dwi ddim wedi ei weld ers ugain mlynedd ond fe fydd popeth yn iawn, siŵr o fod. 'Na i gyd sy' eisie yw defnyddio'r hen swyn i chwalu ei amheuon. Rwy'n edrych ymlaen at ei wên a'i ateb parod.

Cwyd yr awyren o'r ddaear ac wrth iddi hanner troi, mae goleuadau gwely perlau Bangkok yn pellhau. Edrychaf drwy'r ffenest a gwelaf fy adlewyrchiad bregus. Rwy'n unig. Er bod yr awyren yn fawr, mae fel cleren yng nghanol yr awyr anferth.

Wyt ti'n cofio? Wyt. Dad ar y platfform yn dymuno pob lwc yn y cyfweliad yn y Dwyrain Pell. Mam yn llefen y glaw a'i masgara'n llifo. A siâp eu cyrff yn lleihau wrth i'r trên dynnu mas o'r stesion. Fel hyn y lleihaodd y ddau yn fy meddwl dros y blynydde. Nes iddyn nhw bron â throi'n ddim.

Ar y platfform gwenai Dad yn wanllyd achos gwyddai na ddown i nôl. Oni bai fod rheswm da. Ro'n i wastad yn gwybod shwt oedd ei feddwl yn gweithio.

Rwy'n dod yn ôl, Dad. Gwna i unrhywbeth i gael dy ewyllys da. Rwy'n flin. Wnei di faddau imi?

Mae'r siwrne'n hir ac yn flinedig. Gobeithio na fydd y glaniad yn rhy arw.

* * *

Amsterdam. Chwech o'r gloch y nos. Tŷ bwyta moethus ger y maes awyr, a miwsig clasurol y cefndir yn boddi sgrechfeydd awyrennau. Llymeitiaf fy ngwin coch ar ôl pryd o gig eidion Bourgignon. Yn sydyn, saif hi'n dawel wrth y ford, yn ymladd i gadw ei hunan-barch. Mae'n fud. Yn ei llaw dde mae'n dala cerdyn ag arno ysgrifen fregus, frysiog: 'Galla' i ddim fforddio talu am bryd o fwyd.'

Mae hi yno o hyd. Yn dal i aros, yn pwyso arna' i i gael ymateb. Rwy'n gwrthod edrych i fyw ei llygaid a'r unig ateb yw bod yn ddidrugaredd. Galw'r rheolwr sy'n ei thwlu hi mas. Gwehilion. 'Na beth y'n nhw.

Rwy' wedi troi'n ddyn caled. Fi oedd yr un oedd yn diswyddo pobol, yn cau ffatrïoedd, yn hala teuluoedd i fecso eu henaid mas. Ro'n i'n benderfynol o lwyddo yn y byd mawr heb ei ddylanwad e. Torrais i bob cysylltiad a dileu atgofion. Fel ymladdwr rhyddid yn helpu'r ochr arall, yn dianc i wlad arall a byw bywyd newydd. Rhywbeth i'w anghofio oedd Dad – briwsion a gâi eu sgubo i gornel gefn y cof.

Ro'n i'n moyn bod yn flaengar, gwisgo siwt sharp yn dalsyth.

Wnest ti fyth fy llongyfarch achos wnes i ddim llwyddo ar dy delerau di. Rwy'n dod yn ôl. Rwy'n siŵr dy fod ti wedi gwylio'r newyddion. Dros nos mae dynion yn Thailand wedi colli ffortiwn; cyn-filiwnyddion yn casglu sbwriel, yn whilmentan mewn biniau, yn chwilio am arian mewn llysnafedd.

Yn gynta', stopiais i sgrifennu llythyron ac yna stopiais i ffonio. Dwi ddim yn siŵr pam. Dim amynedd. Galwadau gwaith. Oriau hir ac yna partion gwyllt. Rwy'n siŵr fod esgus. Pan holai fy nghydweithwyr yn Bangkok am fy nheulu, ro'n i'n arfer dweud 'Ry'n ni wedi colli cysylltiad,' wrth godi f'ysgwyddau. Ond weithiau cawn hunlle – wyneb Dad yn pellhau'n ara o dan y tonnau a fi'n cilio i'r traeth gan fod y llif mor gryf.

Diawl, ro'n i'n ddifeddwl – fi'n gynta', fi'n ail a walle Shoni'n drydydd.

Yn ei ffordd hamddenol wrth y ford ginio roedd Dad wastad yn dweud ein bod ni i gyd yn gyfartal. Miss Price, yr athrawes mathemateg, blannodd ynof y whant i fod yn feindwr uwchben y toeau llwyd.

Ar y ffôn ddeng mlynedd yn ôl, roedd ei lais yn crynu.

'Dere nôl, plîs.'

'O's rhywbeth yn bod?'

'Mae dy fam newydd farw.'

Yr eiliad honno gwelwn ei lygaid yn chwilio am fy llygaid. Roedd saib hir. Roedd ei lygaid fel rhai dyn sy' newydd brynu plât newydd sbon, yn ei ddadlapio gartre' ac yn sylwi fod crac ynddo. Weithiau mae geiriau mor brin. Man a man 'se fe wedi siarad â'i hunan.

Roedd yr angladd yn hunlle iddo. Y tylwyth yn holi ei enaid. Ble mae e? Ody e'n dost? Ody e'n gwybod? Pwy siort o fab yw e os yw ei fam mewn bedd ac ef ar ochor arall y ddaear?

Beth ddigwyddodd? Aeth rhywbeth ar goll. Cwympodd y gwifrau ffôn. Fel llwybr yng nghefn gwlad Thailand, os nag oes neb yn cerdded ar ei hyd, mae'r planhigion gwyllt yn ei dagu.

* * *

Llundain. Un o'r gloch y bore. Ochneidiaf wrth ddringo i mewn i'r gwely oer yn y gwesty tair seren. Rwy'n dod i ben y daith. Er fy mod wedi blino'n lân, dwi ddim yn gallu cysgu. Er bod y clybiau'n cau, synnaf pa mor dawel yw'r stryd tu fas.

Mae'r llonyddwch yn debyg i . . . Anghofia' i fyth. Pan o'n i'n bymtheg, fe ges i noson feddw – yr un gynta' erioed. Cyrhaeddais i adre' yn y bore bach a bron â phwnio'r cloc mawr i lawr yn y cyntedd. Yn yr ardd am hanner dydd ar ddiwedd ei bregeth, fe dwlodd Dad wad ata' i. Yn sydyn, plygais i 'mhen a tharo Dad ar ochor dde ei dalcen. Cafodd ei lorio. Distawrwydd hir cyn iddo edrych lan, a'i syndod yn graith ar ei wyneb. Ciliodd i'w stydi fel ci wedi ei 'nafu. Y tro cynta' imi weld gwendid ynddo.

Chwarae teg. Dysgodd imi adrodd. Ond yn lle gadael imi arbrofi a dysgu oddi wrth fy nghamgymeriadau, mynnodd reolaeth llwyr. Yn yr ysgol fawr ar lwyfan eisteddfod, fy llais i a gafodd ei glywed ond fe yn y sedd flaen oedd yn mesur y rhythm, yn lliwio'r geiriau ac yn dewis hyd y seibiau. Walle ei fod e'n trial adennill tir, yn ailgydio mewn cyfle a gollodd. Yn fy nefnyddio i fel siaced achub.

Roedd rhaid imi hedfan yn rhydd. Yn raddol, tyfodd ein bydoedd ar wahân.

Odw i'n difaru? Beth yw difaru? Dim ond gair mewn gweddi, yn magu llwydni. Fel hen lyfrau emynau mewn bocsys sy' heb eu hagor ers achau. Pulpud llwyd. Meinciau caled. Llond dwrn o bobol yn gwrando ar bregeth ddiflas. Fel hen lwyth bron â darfod.

* * *

Paddington. Wyth o'r gloch y bore. Yn y trên llonydd eistedd haid o deithwyr. Dwy awr yn hwyr. Ac yna daw neges y cyhoeddwr yn frysiog a llawer o'i neges yn aneglur. Yr unig eiriau y galla' i eu clywed yw 'ymddiheuro,' 'oedi' ac 'amgylchiadau y tu hwnt i'n rheolaeth'. Mae dyn wedi glanio ar y lleuad ond allwn ni ddim cyrraedd Cymru mewn pryd.

* * *

Stesion Caerdydd. Saith o'r gloch y nos. Mae'r niwl, sy'n cau amdana' i yn wlyb, yn oer ac yn treiddio i'r esgyrn. Sleifia'r tacsi ata' i fel cath fawr, ddu.

Rwy' wedi blino'n lân yn y sedd ôl. Nawr hoffwn fod fel Dad, yn gorwedd mewn gwely â'r gallu i gau popeth mas. Meddyliaf am yr eiliad pan fydd e'n llefen gan lawenydd, pan fydd y dŵr sy' wedi crynhoi tu ôl llifddorau ei lygaid yn arllwys yn sydyn. Blasaf y cyffro yn fy ngheg. Edrychaf ymlaen at ei groeso.

Diawl, mae canol Caerdydd wedi newid – y bariau gwin lliwgar yn lle'r hen dafarnau traddodiadol, llwyd fel y *Royal Oak* yn Heol y Santes Fair. Mae'r hen fap yn fy mhen yn ddiwerth.

A'r lo's fwya' fyddai colli cof. Fel bod mewn stafell dywyll a'r golau'n lleihau wrth i rywun gau'r drws o'r tu fas. Cwrso atgofion, rhedeg o gwmpas gardd yn trial dala pili pala â llaw.

Ar ochor dde'r ffordd ddeuol i Bontypridd mae hysbysfwrdd mawr. Hysbyseb perarogl i fod, ond yn lle bod yn slic ac yn gyfan, mae darn hir o bapur yn chwythu yn y gwynt. A'r slogan yn bytiau digyswllt.

Gofynnaf i'r gyrrwr stopio'r tacsi. Mae'n dywyll, meddai, ond dywed fod lamp yn y gist. Af i lawr llwybr am ugain llath, croesi croesfan rheilffordd a dyna ble mae'r Hendre. Fan hyn y ces i fy magu. Ond mae'r ardd yn llawn chwyn, y perthi wedi gordyfu a phlwm wedi diflannu o'r to. Y ffenestri'n deilchion. Alla' i ddim galw hwn yn gartre'.

'Pwy y'ch chi? Cerwch o 'ma.'

Yn y parlwr mae trempyn yn sgrechen ynghanol bwndel o bapurach ar wasgar lle bu soffa glyd. Gwynt pisho lle bu gwynt cennin pedr. 'Na beth yw fflatad, fel y bachgen mawr yn yr ysgol fach a chwarddodd pan drodd fy llun o gae o ŷd yn glwyf coch.

'Ti'n iawn?'

Rhyddhad y gyrrwr wrth fy ngweld i 'to.

Y lo's fwya' fyddai colli cof. Ddim yn nabod unman – y nodau tir cyfarwydd wedi mynd. Bod yn ddigartre' ar ôl bomio. Yn crwydro'n ddi-glem ynghanol rwbel.

Bydda' i ddim yn hir, Dad. Rwy'n dod yn ôl. Gellwch chi fentro, bydd yn rhwydd. Dechrau cyfnod newydd. Fel tegan plentyn lle mae llaw'n creu tudalen wag.

Cyrraedd yr ysbyty ym Mhentre'r Eglwys. Talu'r gyrrwr. Gollwng y cesys tu ôl bord y porthor. Neb yno. Mwynhau hen deimlad braf fel dwyn 'falau o ardd Tŷ Mawr.

Rwy'n hyderus. Rwy' wedi paratoi'r sgript yn fanwl ac yn barod am unrhyw sefyllfa.

Co'i wely ym mhendraw'r ward. Pam na wneiff e godi llaw? Effaith y cyffuriau, siŵr o fod.

'Chi yw'r mab? Sefwch funud.'

Munud? Rwy' wedi bod yn trafaelu am ugain awr. Dwi ddim yn moyn bradu amser.

'Dad?'

Er fy mod yn gwenu gwên o adnabyddiaeth, mae'n delwi.

'Pwy y'ch chi, te?'

Mae fy ngobaith fel coesau hen ddyn yn plygu oddi tano. Erbyn hyn, mae dyn yn gallu hala neges o'r tir i'r lloeren ac yn ôl mor glou â chroten yn bownsio pêl yn erbyn wal. Ond bwlch sy' rhyngof i a Dad, holl dir Ewrop ac Asia.

Rwy' wedi dod yn ôl i gragen o dŷ.

Cyfarfod argyfwng

Dyma fy syniad i o uffern. Uffern sy'n mudlosgi.

O gwmpas y ford gron mae wynebau fel masgiau trist mewn ffenest siop jôcs. Fel hen Austin A40 mae'r pwyllgor yn bwldagu lan tyle o un eitem i'r llall. Ry'n ni wedi bod wrthi ers tair awr heb ennill fawr o dir. Mae'r peswch parhaus fel pibell ecsôst yn cecian, cecian, a'r teithwyr yn siarad yn ddi-stop heb ddweud dim. Er mwyn darllen rhwng y llinellau, gwrandawaf yn astud.

Saif y Clerc ar ei draed. Bola mawr. Gormod o deithiau tramor. Dywed ei fersiwn yntau o'r hyn ddigwyddodd yn y cyfarfod diwetha. Celwydd wedi ei lapio mewn termau rhesymol. A phawb yn amneidio. Dyna beth maen nhw'n moyn ei glywed.

Fe ddylwn ei herio ond mae hi'n rhy hwyr. Symudwyd at brif eitem yr agenda. Saif y Cadeirydd ar ei draed a gwenu'n ffug. A'i ddyrnaid o gynffonwyr yn gwenu'n ôl. Mae'n bosib' y bydd yr araith yn creu argraff.

'Rwy'n flin, ond ni allwn fwrw ymlaen â'r adeilad hwn. Ar ôl hir ystyried . . . '

Y pennaeth cyllid sibrydodd yn ei glust yng nghornel y cyntedd funud cyn y cyfarfod! Welais i nhw!

'Problem troseddwyr ifanc yw'r un fwya' yn y sir.'

Mae ei ddirprwy yn ei bwnio yn ei ochor ac yn pwyntio at y ddogfen yn llaw'r Cadeirydd. Nid hon yw'r ddogfen iawn . . .

Alla' i ddim godde' rhagor o hyn.

'Miss Griffiths?'

'Rwy'n gofyn i bawb ailfeddwl yn ddwys. Fe fydd yr adeilad hwn yn hanfodol i'n pobol ddigartre.'

Gan bwyll. Mae dy lais yn rhy emosiynol. Paid â chrynu gymaint. Edrych arnyn nhw. Maen nhw'n symud yn anghyfforddus yn eu seddau. Edrych.

'Ac os na wnawn ni rywbeth yn fuan, fe fydd y gost yn anferth.'

Yn sedd flaen yr oriel, gwelaf newyddiadurwr a oedd fel delw funud yn ôl yn ysgrifennu'n wyllt ac yn pwyso ymlaen.

'Diolch Miss Griffiths. Ond mae'n well inni beidio â gwylltu.'

A chiliaf yn ôl i'm cragen. Y ffordd orau i ddianc o gors yr undonedd yw gadael i fy meddwl grwydro. Byddaf yn aml yn troi at y gorffennol, yn enwedig at yr hyn a allai fod. Beth fyddai wedi digwydd 'swn i wedi gwneud hyn a hyn? A fyddwn i'n eistedd yma heddi'? 'Sdim dal pryd ry'n ni'n esgyn neu'n disgyn oddi ar geffylau bach y ffair.

Yn aml, rwy'n meddwl amdanat ti.

Robert, alla' i ddim byw hebddot ti.

Ochenaid. Ochenaid ecstasi.

Neithiwr fe losgais i'r llythyron. Roedd darllen y geiriau yn ormod o lo's. Fel y nwyd a allai fod, fe gododd y fflamau ac yna'n sydyn, mor sydyn â'r ymchwydd, fe ostyngon nhw nes llosgi'n golsyn. Edrychais yn syn. Pan oedd y tân ar ei anterth, roedd y papurau'n gwingo fel dau gariad.

Yn fy mhen, rwy'n moyn mygu dy lais. Ond er mor uchel yw'r ffens rwy' wedi ei chodi, rwyt ti'n mynnu tresmasu.

Robert, rwyt ti'n ddigon i fi.

'Mae hwn yn gyfle euraidd i'n Hadran,' meddai'r Pennaeth Cyllid. Hynny yw, 'sdim dewis 'da nhw. 'Cynilo effeithiol yw'r ateb.' Sy'n golygu ein bod ni ar fin mynd i Dre-din.

Geiriau. Masgiau dros ein llygaid. Plaster glynu sy'n cwato'r briw.

Af i'r tŷ bach. Ochenaid. Ochenaid diflastod. Daw Helen i mewn. Sgrafell.

'Pwy yw Robert?'

'Pwy?'

'Yr enw ar waelod tudalen flaen dy gofnodion. Mewn print bras.'

'Neb. Fe gwrddon ni unwaith ond ceson ni ddim cyfle i nabod ein gilydd yn dda.'

O gwmpas y ford gron dadansoddwn y cymalau a'r isgymalau'n oer. O'm blaen mae pentwr o ffeiliau llwyd yn llawn cynnwys llwydaidd. Anhygoel. Er bod bywydau pobol yn y fantol, rhiciwn yn bwyllog.

Mae dyn ifanc ochor draw i'r ford yn denu fy sylw. Dwi ddim wedi ei weld o'r blaen. Llygaid direidus. Fel dy rai di. A chwarddiad anarchaidd. Rwy'n dyheu amdano – unrhyw beth sy'n fy ryddhau o'r hunlle bwyllgorol. Am hanner dydd gallen ni gwrdd yn gyfrinachol mewn gwesty a charu'n danbaid i gyfeiliant miwsig Wagner. Fe ŵyr shwt i'm bodloni.

Neithiwr, fe ddarllenais i nofel rywiol yn y gwely a gallen i dyngu mod i'n gwynto dy chwistrell di ar fy nghorff. Yna fe dynnais i'r cynfas yn ôl cyn ymestyn fel cath. Diffodd y lamp a sefyll nes bod cwsg yn fy hudo. Cwsg yw'r unig beth sy'n fy hudo y dyddiau hyn.

Edrychaf o gwmpas. Yr un hen wynebau yn dweud yr un ystrydebion.

Ble wyt ti heddi? Wyt ti'n fy nghofio i? Gallai'r funud 'na fod wedi bod yn drobwynt. Yn gyfle i gychwyn caseg eira. Ar ôl iti adael fe droais yn lleian, yn briod i'm gwaith, yn gwneud fy mhenyd dyddiol. Bob dydd am weddill fy mywyd.

'Wn i os wyt ti'n chwerthin o hyd i gwato'r annifyrwch? Siom fach o'n i ar y ffordd i rywun arall.

Mae'n debyg dy fod ti'n dal i gamu ar hyd cerrig afon. A phob carreg yn galon.

'Ble ewn ni heddi?'

'Pam?'

'Rwy'n moyn gwybod'.

'Neidio i mewn i'r car. Dilyn fy nhrwyn. 'Na sbort.'

'Na. Rwy'n moyn gwybod.'

'Sdim diben. 'Sdim dal beth ddigwyddith.'

Dyn busnes o't ti. Ce'st ti brofiadau na allwn i eu dychmygu mewn llefydd nad o'n i erioed wedi clywed amdanyn nhw. Valparaiso. Capetown. Hamburg. Ac iti, roedd cywilydd yn frad. Gorchymyn hen bobol na allai gael hwyl.

Er fy mod yn ifanc, roedd y llifddorau'n hen – yn rhydlyd. Ti oedd yr un fu bron â'u hagor nhw.

Rwy'n cofio'r prynhawn hwnnw yn y stafell fyw. Mam a Dad wedi mynd i Gaer dros y penwythnos. A fi'n meddwl, edrych arna' i, nage ar y cylchgrawn pêl-droed. Edrych arna' i. Ti'n ddall? Rwy'n moyn ti. Y funud hon. Ond alla' i ddim dweud y geiriau. A dyna ble o'n ni. Y sgwrs yn igam-ogam.

Roedd rhywbeth mawr yn fy nala i'n ôl. Ro'n i'n rhy barod i frecio'n sydyn. Rwy'n gwbod beth oedd yn bod – y gosb yng nghwt brawddeg Mam.

'Os nag wyt ti'n bihafio, fe fydda' i'n cropo dy goesau.'

Y bwci bo. Y dyn dwl sy' wedi dianc o'r ysbyty meddwl. Felly caewch y drysau a'r ffenestri. Gwnewch y castell yn sicr rhag y goresgynnwr.

Ife hwn oedd y tro cynta i ti hefyd?

Doedd e ddim yn siwtio dy ddelwedd di. March y plwy, yn ffaelu ei ddyletswydd. Felly beth wedaist ti wrth y bois yn y dafarn y noson honno? Mae hi fel iâ. Lesbian yffarn. Yn chwerthin nes eu bod yn dost. Tra o'n i'n llefen fy hun i gysgu.

Ar fin dod i ben mae araith y Cadeirydd. Yn sydyn, meddyliaf am y rhai sy'n ddiamddiffyn oherwydd ein toriadau ariannol y bore 'ma. Dwi ddim yn moyn bod mewn stafell unig mewn tŷ unig. Heb neb i ofalu amdana' i. Heb neb i ffonio'r meddyg petai angen. A fi ryw ddiwrnod yn ddiymadferth fel pry lludw ar ei gefn.

* * *

Dyma ni. Sedd wag sengl. Yr un hen stori. Y peth gwaetha yw meddwl am yr hyn a allai fod. Paid. Iesu. Ar wahân i'r blip cynhyrfus 'na yn '68, mae fy mywyd i wedi bod fel graff hir a gwastad. Pwy sy' ar y llawr gwaelod heddi? Criw newydd. 'Sa' i'n nabod y rhain. Cynghorwyr. Yn cymoni pethau. 'Sda fi gynnig iddyn nhw.

Ie. Hi sy 'na. Mae ei gwallt wedi britho. Mae hi'n anadlu'n ddwfwn bob hyn a hyn. Ac mae ymchwydd ei bronnau'n hala chwant arna' i – yn atgyfodi nwyd marw. Iesu.

Mae hi wedi parchuso. Dillad moethus. Trugareddau drud, mwclis, gemau a modrwyon. Hi sy'n rhoi sylwadau byr, ystyrlon ar ôl i bawb siarad. Mae pawb yn gofyn am ei barn. Alla' i ddim clywed ei llais hi achos mae'r cleber yn uchel. Y cwestiwn mawr yw shwt mae hi'n teimlo tu fewn.

Anna. Ti oedd y berta a'r fwya deallus. Beth wyt ti'n meddwl ohono' i nawr? Iesu. Ro'n i'n fyrbwyll. Yn tanio heb angen. Ac yna'n difaru f'enaid.

Ond efallai. Dwi ddim wedi teimlo fel hyn ers '68. Beth sy'n bod arna' i? Rwy' fel llanc pumed dosbarth. Mae'n dal i fwrw ei hud drosta i. Codaf fy llaw – ond mae'n rhy hwyr. Maen nhw'n codi i fynd yn ôl i'r neuadd. 'Sneb yn gwenu. Cyfarfod argyfwng, siŵr o fod. Gormod o siarad a dim digon o weithredu.

Anna. Anna. Dwyt ti ddim hyd yn oed wedi sylwi arna' i. Dwyt ti ddim yn gwybod fy mod i yma.

Maen nhw'n agor drysau'r neuadd. Beth wna' i? Gadael nodyn iddi yn swyddfa'r porthor yn y cyntedd. Ei gwahodd am ddiod ar ôl y cyfarfod? Na. Fe fyddai hynny'n gyfaddefiad. Wnaiff hi chwerthin am fy mhen. Fel y tro diwetha. Chwerthin gwawdlyd sy'n brifo i'r byw.

Mae'n well imi adael. Mae'r myfyrwyr wrth y ford nesa'n edrych yn rhyfedd arna' i.

Cwyd yn benderfynol. Gwisg dy got hir ddu'n urddasol. Gafaela yn dy gês yn bwyllog. Paid ag edrych yn ôl.

Mae'n rhaid imi. Mae'r drysau ar gau a phorthor yn gosod arwydd ar y bwlyn. Peidiwch â tharfu.

Anna. Alla' i ddim byw hebddot ti.

Cerdda.

Anna. 'Ti ddim yn gwybod beth wyt ti'n 'neud i fi.

Cerdda.

Siwrne saff

Roedd y Cochyn yn dwlu ar drenau – y sŵn, y gwynt a'r rhuthr. Gwenodd wrth i'r trên hir, gwyrdd gyrraedd fel neidr a stopio wrth ochor Platfform Dau.

Llanwyd ei galon â chyffro, cyffro bachgen ysgol bymtheg mlynedd yn ôl oedd ar ei ffordd i Orsaf Temple Meads, Bryste, i chwilio am rif un trên, Western – yr unig drên ar ôl yn y gyfres i gyd, yr unig rif heb gael ei danlinellu mewn beiro glas.

Eisteddodd yn y sedd wag – roedd yn lwcus i gael un. Hwn oedd ei ddiwrnod rhydd, a dyma benderfynu y bore 'ma i ddala trên i Fryste, i ailgydio yn yr antur oedd wedi diflannu o'i fywyd llwydaidd, gweithio-ar-y-lein.

Clywodd lais y fenyw ganol oed, Seisnig, fel actores ffilm o'r pumdegau, yn ynganu enwau'r llefydd: Casnewydd, Cyffordd Twnel yr Hafren a Bryste ble byddai pawb yn cyrraedd, disgyn a siopa, cerdded, cwrdd â thylwyth, mor sicr â'r Efengyl.

Eisteddodd dyn yr ochr draw iddo pan stopiodd y trên yng Nghasnewydd. Dyn ifanc mewn dillad hamddenol ond â golwg ddifrifol wrth ddarllen tudalen gynta'r *Guardian*.

Teimlai llygaid y Cochyn yn drwm wrth i'r cerbyd ei sïo i gysgu, fel crud yn siglo. Roedd y caeau ŷd yn bolaheulo yn nhes mwyn Mehefin.

Gadawodd y dyn y trên yng Nghyffordd y Twnel a gadawodd ei bapur ar ôl. Cydiodd y Cochyn ynddo a sylwodd ar fenyw ganol oed yn edrych arno'n amheus. Trodd y Cochyn bant, gan esgus darllen y papur. Efallai iddo fod yn fyrbwyll drwy ddwyn eiddo rhywun arall. Ond beth oedd yr ots? Ife dwyn oedd e? Na. Roedd y dyn wedi mynd a doedd e ddim yn gwybod.

Roedd pennawd bras ar y dudalen flaen am ddamwain trên Paddington. Dododd y papur i lawr. Gwenodd ar y fenyw fusneslyd, ond ni wenodd hi'n ôl. Yna, am ryw reswm, meddyliodd am bennaeth ar ben ei hun mewn swyddfa ar ddegfed llawr yn gwneud penderfyniad, heb fod teithwyr trên yn gwybod amdano – yn mesur a phwyso ac yn casglu fod hyn-a-hyn o bobol yn mynd i farw bob blwyddyn, doed a ddelo. Yn nodi rhif ar bapur.

Gostyngodd grwndi'r trên. Roedd yn cael ei sugno i mewn i'r twnel. Pan edrychodd y Cochyn drwy'r ffenest roedd fel bola buwch, a walydd y twnel mor ddu â phrint y pennawd.

Ochneidiodd y Cochyn. Doedd dim pwynt meddwl am y peth. Petai'n meddwl gormod, byddai ei deimladau dros y lle i gyd fel llaw rhywun yn trial ysgrifennu pan mae trên yn symud.

Doedd dim pwynt becso. Ond y tu ôl i'r porthorion croesawgar, y fenyw gyfeillgar yn y ciosg papur newydd, meddyliodd, roedd amserlen lladd.

Erbyn hyn roedd y trên mas o'r twnel. Daeth y gard i tsiecio'r tocynnau a gofynnodd rhywun iddo pryd oedd y trên yn cyrraedd Portsmouth. Gofynnodd un arall a oedd gwasanaeth troli ar gael. Atebodd y cwestiynau'n siriol.

Roedd y Cochyn eisiau gofyn iddo pa mor debyg oedd damwain, damwain angheuol. Byddai hynny'n annheg. Doedd y gard ddim yn gwbod, y gard a chwibanodd wrth gerdded drwy'r drws.

Herciodd y cerbyd dros bwyntiau atal. Edrychodd ar ei watsh. Deg munud cyn cyrraedd Bryste. Diwedd y lein . . .

Hedfan o gawell

'Sdim byd yn sanctaidd. Maen nhw'n berchen ar fy nghorff hyd yn oed ar ôl imi farw.

Harbwr Capetown. Dyma fi, rwy'n ôl yno 'to yn 1810 – yr awyr fel gwin a'r llongau hwylio'n osgeiddig. Pan welais i nhw gynta', o'n i ddim yn siŵr achos do'n i ddim wedi gweld un o'r blaen.

Mae'r capten o Sais â gwên chwareus yn estyn ei law dde wrth imi ddringo ar y bad. Dwi ddim eisie mynd. Fy mam sy'n mynnu na chawn i gyfle fel hyn 'to i weld y byd. Yn gwmws fel mae'r pridd yn ysu am ddŵr, mae hi'n credu 'mod i'n barod am brofiad newydd. Rhaid imi hedfan o'r gawell, medd hi. Wedi'r cyfan, rwy'n ugain oed.

Er bod y Capten yn gwenu, mae gafael ei law'n rhy dynn, ac mae fy nghorff i'n rhewi am ychydig o eiliadau. ''Wnewch chi ddim difaru,' medd e. Cydiaf yn y canllaw ar ôl i'r bad siglo, mae awel wedi codi'n sydyn o rywle i darfu ar bopeth.

Dwi ddim eisie mynd. Fy mhobol i, y Khoikhoi, yw disgynyddion y bobol gynta ar y rhan hon o'r ddaear, ac mae llinyn hir yn estyn yn ôl cyn cof. Mae bron â bod yn sanctaidd.

Mae'r morwyr yn llwytho nwyddau drud, diamwntau, ond yn taflu'r bocsys yn ddiseremoni ar y dec ac yn chwerthin. Fy nhad sy'n dweud na ddylwn i ymddiried yn y bobol hyn am eu bod nhw'n wahanol i ni – nid yn unig lliw eu croen ond eu moesau. Yn ystod nosweithiau hir y gaeaf pan o'n i'n ddeg oed, adroddai straeon am anifeiliaid mytholegol a allai deithio o fan i fan a thrwy amser. Dim ond nawr rwy'n deall beth yr oedd yn ei feddwl.

Weithiau byddai fy nhad yn dechrau stori, a Mam yn dala ei bys wrth ei cheg. Ond pan o'n i ar ben fy hun, mynnai adrodd straeon am ddiwedd paradwys, pan ddaeth blaidd i chwalu ein ffordd o fyw fugeiliol fel corwynt yn llorio coed. Cynigiodd dynion gwyn ag acen wahanol losin i'n plant wrth gyrraedd ein gwlad, ac yna gorfodi fy mhobol i fyw o fewn ffensus tir llwm, mewn mannau caeëdig.

Yna, pan o'n i'n syllu ar y glaswellt melyn yn mân orchuddio'r pridd cochfrown yn y gwanwyn, roedd yn anodd credu fod sgrechfeydd wedi llenwi'r tyddynnod, a mamau'n llefen yn uwch na rhuthr yr afon adeg stormydd tyrfedd Tachwedd. Hynny yw, os oedd straeon Dad yn wir.

Rwy'n ymddiheuro i'r Capten, a rhaid imi eistedd ar y dec. Pan mae'r Capten yn gofyn a wyf yn iawn, rwy'n siglo fy mhen achos rwy'n teimlo'n benysgafn. Mae ei lais cwrtais yn gymysg â siglad y bad a sŵn y tonnau'n taro wal yr harbwr . . .

* * *

Yn ei swyddfa yn yr amgueddfa ym Mharis eisteddodd y Ceidwad, Dr Rondeau, yn ôl yn ei gadair wrth ddarllen proflenni ei lyfr diweddara'. Ar ei ddesg roedd yr holl lyfrau cefndirol am y fenyw ddu. Roedd angen ymchwil manwl i dreiddio i mewn i'w meddwl hi a'i chymhellion.

Gwenodd. Mor braf oedd gweithio cyn bod neb arall yn cyrraedd, heb ganiad ffôn na chnoc ar y drws. Cydiodd yn nhudalennau'r bennod gynta, gan ailddarllen y paragraff cynta deirgwaith. Cafodd flas ar ei arddull ei hun:

Pan safai ar y cei yn Capetown, roedd y fenyw ifanc, ddu'n nerfus ac yn llawn amheuon. Ond hwn oedd trobwynt ei bywyd. Pe na bai wedi gadael De Affrica, byddai wedi aros ar dir llwm, priodi, magu deg o blant a byw bywyd cyfyng o fewn ei milltir sgwâr. Yn lle hynny, trodd yn ffigwr hanesyddol.

Trodd ei gyfrifadur ymlaen a chlicio ar yr adran oedd yn dangos faint o eiriau yr oedd wedi eu sgrifennu. Pum mil yn y bennod hon ac roedd pymtheg pennod. Gallai'r llyfr agor drysau iddo. Roedd eisoes wedi ffonio'i ffrindiau a weithiai ar *Le Monde* a *Libération*, oedd wedi addo adolygiadau ffafriol, a dychmygai'r cwestiynau gwasaidd a'i atebion awdurdodol. A'i gyfle i gael swydd uwch yn yr amgueddfa. O'r diwedd roedd wedi llwyddo i osod y fenyw ddu yn ei chyd-destun hanesyddol a gwyddonol – yn ei slot haeddiannol, fel petai.

Cododd a gosod tudalennau'r bennod ar garped trwchus, glas y swyddfa ac yna cydiodd mewn pentwr arall. Y bumed bennod. Darllenodd:

Pan gyrhaeddodd y sioe Lundain roedd miloedd yn aros i'w gweld hi ar fore glawog, oer. Cyn hynny roedd sylw mawr wedi bod yn y wasg am ei chorff a'i chwantau. Roedd cartwnwyr wrth eu bodd a hi oedd testun sgwrs pob teulu dylanwadol yn y brifddinas . . .

Edrychodd Dr Rondeau ar hen gopi o'r *Times* a meddyliodd amdani'n falch i adael tywydd crasboeth De Africa, fel caethwas yn torri cadwyni.

* * *

Dyma fi. Rwy'n ôl yno. Picadilly, damo'r lle a'r glaw mân sy' fel amdo am y ddinas. Rwy'n crynu.

Daw'r dynion i mewn, fesul un, fesul dau, i edrych arna' i ar ôl gwylio'r arth a'r jiráff. Maen nhw'n fy nhreisio â'u llygaid; yr un olwg oedd yn llygaid yr Isalmaenwyr pan glywon nhw am y ddiamwnt o dan y tir yn Kimberley.

Rwy'n casáu cael fy nghloi i mewn. Rwy'n gweld eisie fy ngwlad, y cyfle i gerdded y tir gwyllt heb olion dyn arno, a gweld y mynyddoedd glaslwyd sy'n estyn mor bell â'r gorwel sy'n diflannu yn y tes. Cerdded am ddiwrnod heb weld un enaid byw, a dim ond ymgolli yn y tirlun moel a grymus yr o'n i'n ei gymryd yn ganiataol. Fel anadlu. Yr ehangder diamser. Ar wahân i un diwrnod pan welais i gannoedd o glêr ar ben sebra, yn ei ddatgymalu, a'i berfedd yn y golwg a'r tro ar hyd ei fola mor berffaith â gwaith llawfeddyg.

Rwy'n gweld eisie fy mhobol, eu diarhebion doeth, tawel a'u siarad plaen. Beth sy'n bod ar y dynion hyn sy'n edrych arna' i'n rhyfedd, yn rhythu a sibrwd â'i gilydd ac yn fy nghorfodi i gilio? Er eu bod yn trin a thrafod yn bwysig, mae eu meddyliau mor gul â'r gwteri sy'n llifo ar ochor y pafin.

Maen nhw'n edrych arna' i fel anifail rheibus. Iddyn nhw, rwy'n rhy hoff o fyw, ac maen nhw'n trial fy nghornelu. Ond mae'r ysbryd, gobeithio, yn gallu ymladd yn ôl.

Yn y bore pan rwy'n gwisgo yn y garafán fach, edrychaf drwy'r ffenest a gwelaf ddyn mewn cae cyfagos. Rwy'n ei nabod yn dda erbyn hyn ac mae ei ddefod wedi dod yn rhan o fy mywyd.

Mae'n torri coed, yn glinigol, ac yna mae'n gosod y darnau pren mewn pentyrrau trefnus – pob pentwr mor uchel â'i gilydd fel rhes o filwyr, a chwe modfedd rhwng pob pentwr. Yna, mae'n gosod lliain gwyn drostyn nhw rhag ofn y daw glaw.

Dwi'n ffaelu deall pam bod hyn yn digwydd. Mae'r pren yn mynd i losgi, beth bynnag yw ei faint, ac yn mynd i gwympo mewn tân fel breuddwydion pobol – tan iddo gyrraedd y gwaelod a chael ei glirio'n sydyn.

Pam? Am fod rhaid iddo reoli pob manylyn yn ei fywyd? Am fod y broses yn ei helpu i ddelio â dolur yng ngwaelod ei fod? Ai oherwydd ei fod mor wan mewn agweddau eraill o'i fywyd fod rhaid iddo ddangos taw fe yw'r meistr?

Mae'n gwenu, yn hwpo'i dafod mas wrth iddo ddodi awch ar lafn ei gyllell. Yn ystod y dydd, trof y cwestiynau hyn yn fy mhen; nhw yw'r canllawiau pan fo'r bad yn siglo.

Edrychaf ar y rhesi o ddynion sy'n ciwio, un ar ôl y llall fel rhesi o filwyr a goncrodd fy ngwlad, a'u llygaid yn pefrio fel diamwnt yn flachio, y trysor sy'n ddwfn yn y ddaear.

* * *

Cododd Dr Rondeau ac edrych drwy'r ffenest ar y Tŵr Eiffel oedd yn sefyll yn y tes. Meddyliodd am y posibiliadau ar ôl cyhoeddi'r llyfr. Cofiant i'r fenyw ddu? Roedd hynny'n bosib ond byddai raid iddo ddyfalbarhau gan fod y cyhoeddwr yn ddyn diamynedd a negyddol. Rhaglen ddogfen? Byddai raid iddo chwilio am gysylltiadau yn y byd teledu er nad oedd yn hoff o rai oedd yn bihafio fel prima donnas.

Oedd, roedd y dyfodol yn ddisglair. Doedd dim i'w stopio rhag cyrraedd ei botensial. Ond eto . . .

* * *

Wrth iddyn nhw rythu ar fy nghorff, rwy'n gofyn i mi fy hun pam rwy'n gwneud hyn. Wel, mae'n well na bod mewn tyddyn lle mae'r tir yn sych a'r teulu'n crafu byw fel ieir yn crafu am fwyd. Dyna shwt rwy'n teimlo weithiau. Tra bod fy nheulu'n byw ar gawl tenau yn y gaeaf, mae llygaid y Saeson yn gwledda ar fy nghorff. Rwy'n tynnu dŵr i'w dannedd.

Beth mae Dad yn ei feddwl o hyn? Alla' i ei weld e nawr, yn pwyso ar y wal ac yn edrych i fyw fy llygaid. Beth wyt ti'n wneud? mae'n gofyn. Paid â gadael iddyn nhw wneud hyn iti, achos maen nhw'n dy drin di fel cig, yn dy lygadu mewn mart. Rwy'n moyn dy weld di cyn imi farw a theimlo dy wallt yn dyner ar f'ysgwydd. Dyna yw'r dymuniad ola.

Ond shwt alla' i ddianc? Ble af i gwato? Rwy' mewn gwlad estron a phwy fydd yr heddlu'n ei gredu – menyw ddu sy'n honni fod ei pherchennog yn ei chamdrin neu ddyn bonheddig parchus? Rwy'n gaeth – yn sownd mewn ffenest arddangos tra bydda i fyw.

Paid â gwneud dim byd dwl. Mae un o'r ymwelwyr newydd godi fy sgert a thrial cyffwrdd ynddo i. Mae'n anodd gwybod beth i'w wneud, achos dwi ddim eisie stŵr. Galwaf enw'r perchennog ond dyw e ddim yn ateb. Mae'n chwerthin â'i gyfeillion, siŵr o fod, yn gwneud sylwadau am faint bronnau, pen ôl a rhannau preifat – fel ffermwyr yn mesur a phwyso rhinweddau buwch.

Yr unig gysur yw y bydd hyn yn dod i ben rywbryd, y bydd eu grym yn chwalu yn eu dwylo fel pridd gwael.

* * *

Cododd Dr Rondeau y llenni tywyll. Gostyngodd nhw cyn eu hailgodi eto. Roedd yr holl beth yn gwingo yng nghefn ei feddwl fel ci'n ceisio tynnu ei hun yn rhydd o hen fagl rydlyd.

Roedd yn ddirgelwch. Ar ôl protestiadau'r grwpiau menywod, roedd yr Amgueddfa wedi gosod larwm newydd ar y cas – larwm fyddai'n tanio'n uwch, ac roedd nifer gofalwyr y nos wedi dyblu i bedwar gyda dau ohonyn nhw'n gwarchod y cas.

Darllenodd yr adroddiad diogelwch eto. Roedd yn ddirgelwch. Ers wythnos roedd y protestiadau wedi dod i ben ond ers wythnos roedd y larwm wedi tanio bedair gwaith yn y nos, a'r heddlu wedi cyrraedd ar frys. Doedd dim olion bysedd yn unman yn yr oriel na dim arwydd o dorri i mewn.

Roedd y Curadur yn argymell ailosod larwm newydd ar frys gan ei fod yn amau fod nam ar yr un presennol. Dyna oedd yr unig reswm, meddai yn ei adroddiad.

Sylwodd Dr Rondeau ar ddeunydd marchnata'r cwmni a osododd y larwm: 'Cwmni enwog. Traddodiad yn bwysig. Yn bod ers canrif ac felly'n llwyddo bob tro. Yn rhoi'r gofal gorau i'w gwsmeriaid. Yn darparu'r safon ucha.'

* * *

Wrth i'r gloch ganu, mae'r Amgueddfa'n agor. Dyma nhw'n rhuthro drwy'r clwydi â'u harian yn eu dwylo, yn heidio i mewn i'r oriel fel clêr, a'r plant â'u trwynau gwlyb a'u gwefusau'n llawn hufen iâ o flaen ffenest y cas. Mae'r gofalwr yn dychryn a'r plant yn rhythu at y cas, yn pwyntio ac yn chwerthin. Yn chwerthin mewn cynllwyn.

Pam na wnân nhw rywbeth? Y dynion mawr. Yn lle cerdded ar hyd coridorau heibio lluniau brenhinoedd oesoedd a fu, oesoedd sy'n llwch. Llwch y llwybrau y mae fy mhobol yn cerdded arno yn Ne Affrica.

'Na i gyd sy eisie yw dodi'r cwbwl mewn bocs pren, gwyn a'i hala ar yr awyren i Johannesburg. Rwy'n moyn gorffwys ac mae'r bedd ar agor. Fel hyn, rwy'n herwr, ar wib o funud i funud, o le i le ac o gyfnod i gyfnod fel darllenydd sy'n troi tudalennau am nad yw'r stori'n gafael.

Er 'mod i'n farw, mae 'da fi hawliau. Dwi ddim yn gleren o dan feicrosgop. Rwy' eisie gorwedd yn llonydd.

Mae Ffrainc yn meddwl fod 'da nhw bŵer dros fyw a marw. Dylwn i fod wedi cael fy nghladdu yn 1830, flwyddyn ar ôl fy nhad. Mae 150 o flynyddoedd ers hynny a'r bedd yn dal ar agor.

Ond galla i aros. Dr Rondeau, gawn ni weld pwy sy'n ennill. Chi sy'n farwol. *C'est la vie.*

* * *

Canodd y ffôn yn y swyddfa. Roedd gyrrwr beic modur yn y cyntedd, meddai menyw ifanc y dderbynfa, ac roedd ganddo neges frys. Cerddodd Dr Rondeau'n gyflym i lawr y grisiau marmor oedd yn troi'n osgeiddig mewn hanner cylch. Derbyniodd yr amlen ac amneidiodd ar y negesydd.

Cyn mynd yn ôl i'w swyddfa galwodd yn y ffreutur am botel o ddŵr Evian. Roedd ei swyddfa'n twymo. Doedd e byth yn agor ffenest achos roedd yn bwysig canolbwyntio ar ei orchwyl mawr a dileu unrhywbeth a fyddai'n sbwylio hynny. Edrychodd ar ei watsh. Roedd hi'n hanner dydd.

Pan gyrhaeddodd ei swyddfa, dododd y llythyr i lawr ar ei ddesg ac anadlodd yn ddwfn. Roedd un darlleniad yn ddigon. Beth allai 'wneud? Roedd yr holl beth y tu hwnt i'w reolaeth. Byddai raid iddo ysgrifennu pennod arall ar frys.

Llythyr o Swyddfa'r Gweinidog Tramor oedd yn yr amlen, ac roedden nhw eisie ei sylwadau ar frys am fod De Affrica wedi gofyn am ddanfon y fenyw ddu yn ôl.

Cerddodd yn ôl ac ymlaen, yna eisteddodd, gan nodi ei sylwadau rhagarweiniol. Ffrainc oedd biau'r fenyw ddu achos roedd hi wedi bod ar dir Ffrainc ers 1830. Roedden nhw wedi gofalu amdani'n dda – dyna ddiwedd ar y mater. Y cam gorau fyddai aros i Dde Africa ofyn eto ac yna oedi ac oedi, gan obeithio y byddai eu diddordeb yn pallu fel tân yn marw.

Oedd raid i hyn ddigwydd nawr pan oedd ar fin cwpla campwaith ei fywyd? Rhwygodd dudalen wag, fe'i gwasgodd yn dynn yn ei law a'i thwlu i'r bin.

* * *

Mae'r bedd ar agor ers blynyddoedd fel clwyf agored, a'r tir o'i gwmpas yn ferw fel croen menyw ynghanol twymyn. Pan rwy'n mynd yno, galla i ddim aros yn hir. Bob tro bydd awel yn codi o rywle, a'r pridd yn troi fel 'se duwiau'r ddaear yn ochneidio am fod dim llonydd i ga'l.

Yn llythyr De Africa mae pob cymal yn arwain yn anorfod at y nesa. Pam bod y Ffrancod yn gohirio? Maen nhw'n bobol resymegol. I fod.

Wrth imi nesáu, sylwaf ar faes parcio yng nghefn yr Amgueddfa a daw teimlad rhyfedd drosta i. Ers i'r larwm danio maen nhw wedi gosod gwifren bigog ar y walydd moel – gwifren sy'n gwmws fel y llwyni drain ar ymyl llwybrau fy ngwlad. Ond bod y llwyni drain ynghanol glaswellt melyn yr ehangder diamser.

Nawr rwy' yn ei swyddfa lle mae e wrth ei ddesg yn chwysu. Mae'n troi'r switsh ar y gwyntyll ar ei gabinet ffeilio ond mae'r diferion ar ei dalcen yn llifo i mewn i'w lygaid, ac mae'n gorfod eu sychu nhw â neished.

Diferion bach. Dim i gymharu â dagrau rhieni yn Ne Affrica pan glywon beth oedd wedi digwydd i gorff eu merch, eu hunig ferch – na fyddai'n dod yn ôl. Byddai ei chladdu'n dyner ym mhridd De Affrica mor anobeithiol â thyfu hadau mewn pridd.

* * *

Yn y ffreutur am un o'r gloch eisteddai Dr Rondeau wrth ford ar ben ei hun yn yfed dyshgled fach o goffi du. Edmygodd ei arddull gryno . . .

> Tra oedd yn teithio o gwmpas Gogledd Ewrop cafodd ei thrin yn dda . . .

Pan o'n i yn Picadilly, Llundain, roedd y perchennog yn gwenu ar bawb wrth rannu rhaglenni. Ond un noson, pan ddaeth y sioe i ben yn Llundain, daeth i mewn i'r garafán pan o'n i'n cysgu. Roedd gwynt cwrw ar ei ana'l.

Pawennodd fy mronnau a'u cusanu cyn fy nala i lawr ar y gwely. Fe ar ben tra oedd fy mreichiau a'm coesau i ar led. Yn ffaelu cyffro. Yn ddideimlad.

Roedd raid imi wneud rhywbeth. Pan grafais ef ar ei foch, edrychodd arna i'n rhyfedd, yn sobor o ryfedd fel tresbaswr yn edrych ar berchennog yn tanio dryll dros ei ben. Wedi'r cwbwl, mae ffiniau i ga'l, arwyddion, tiriogaeth.

O'n i'n meddwl y byddai rhywbeth gwaeth yn

digwydd, ond cerddodd mas yn araf a chaeodd y drws yn dawel. A fi oedd yn ffaelu cysgu – yn ofni beth ddigwyddai fore trannoeth pan oedd yn edrych arna i drwy'r ffenest. Ddaeth e ddim i'r ffenest. Ces i fy nghloi i mewn yn y garafán am wythnos, heb fwyd na diod.

* * *

Ailddarllenodd Dr Rondeau baragraff cynta'r bennod ola' – y bennod newydd ola:

> Bu farw hi pan oedd yn 26 oed. Ond cafodd fwy o sylw ar ôl marw, yn bennaf oherwydd yr hyn gyflawnodd Georges Corbière. Yn ein hoes ni mae ei syniadau'n cael eu hystyried yn adweithiol, yn hiliol hyd yn oed, ond rhaid inni gofio beth oedd ei wir gymhelliad. Ei ysfa oedd ysgolheictod a'i nod heb amheuaeth oedd gwthio ffiniau ymchwil.

Ces i amser anodd pan o'n i'n fyw. Ces i ddim llonydd pan o'n i'n farw, pan o'n i'n ffaelu ymladd yn ôl.

Roedd Corbière wedi dweud wrth yr *Académie Royale de Medécin* ei fod yn gwneud yr holl beth yn enw ysgolheictod, er mwyn dangos y gwahaniaeth rhwng y gwyn a'r du. Ond roedd ei feddwl fel llyn yn Ne Affrica ar ôl i anifail farw ynddo. Dywedodd fod angen mwy o oleuni ar ei hoff bwnc ymchwil. Pan mae'r haul yn tywynnu ar gorpws yn fy ngwlad i, mae'r pydredd yn fwy.

Yn lle fy nghladdu'n dyner yn nhir y Transvaal, gorweddai fy nghorff ar slabyn mewn amgueddfa fel 'swn i ar fwrdd y cigydd. Doedd neb o'r teulu'n gwybod. Ac yna cafodd fy rhannau preifat eu dodi mewn cwyr a'u harddangos i blant ac oedolion Ffrainc fel afalau ar stondin marchnad. Am fy mod yn wahanol, medden nhw. Am fy mod yn sglyfaethus.

* * *

Rwy'n gwylio Dr Rondeau er all e ddim fy ngweld i. Mae'n ddall gan orffennol sy' wedi ei gloi mewn cas oriel, yn ddall fel cyntedd pan mae drysau haearn, trwchus yn cau'n araf, yn cau mas y golau am bump o'r gloch. Ar ei silff lyfrau mae hen lyfrau o'r ganrif ddiwetha a phob meingefn yn fregus, mor fregus.

O'r diwedd, mae wedi sgrifennu'r bennod newydd ac mae ei ysgrifenyddes wedi gweithio tan wyth yn ei theipio. Mae'n cerdded yn ôl ac ymlaen ar hyd pentyrrau proflenni ei lyfyr newydd fel capten yn archwilio'i filwyr. Mewn deng munud mae ei gyhoeddwr, Gabriel Struillou, yn cyrraedd i gasglu'r tri chan tudalen, a'r ddau'n rhannu potel o Bordeaux Supérieure. Mae'r botel wedi ei hagor ers dwy awr.

Mae achos iddo ddathlu. Pum mlynedd o ymchwil, dwy flynedd o sgrifennu, a misoedd i'w gosod mewn trefn, ychwanegu'r atodiadau, y troednodiadau, a chroesgyfeirio'r cwbwl.

Mae'n stopio'n stond. Am iddo ymgolli gymaint yn ei waith mae wedi anghofio un peth allweddol, sef nodi rhif pob tudalen. Bydd y cyhoeddwr yn gofalu am hynny, gobeithio.

Yn sydyn, mae'r tudalennau'n codi, yn chwyrlïo, ac yn cwympo'n ddarnau ar wahân ar y carped glas, trwchus. Mae'n tynnu ei sbectol. Mae'r ffenest yn dal ar gau ac yntau'n sydyn yn unig yn yr ystafell, ei ben a'i ysgwyddau'n gostwng fel arch mewn bedd. Mewn pum

munud o gwmpas bedd yn y Transvaal mae pridd yn troi
fel dawns alaru.

Cywaith

Pwysodd y cynhyrchydd ymlaen, ei bys fel neidr yn ymosod yn sydyn.

'Rhaid i chi newid hon.'

'Yr olygfa i gyd?'

'Y cwbwl.'

Eisteddodd yn ôl, gan blethu ei breichiau. Dwi ddim yn siwr beth ddaeth drosta i.

'Ble o'ch chi pan oedd y dudalen yn wag?'

Cnoi drwy fariau

Nid mathemateg yw fy hoff bwnc yn yr ysgol ond roedd y tynnu bant yn rhwydd. Dwy bunt a hanner oedd y bwthyn gwyrdd achos dim ond tair punt oedd ar ôl 'da Mam, a ches i bumdeg ceiniog o newid.

Prynhawn Sadwrn yw hi a Mam newydd brynu sgidie lledr, du yn siop *David Evans*, Abertawe. Eisiau rhywbeth i godi ei chalon, meddai hi. Mae'n cloncan â menyw ddierth yn Ffordd y Brenin, menyw sy'n gwisgo sgarff goch am ei phen am ei bod mor oer. Yn dweud pethe personol wrthi hi. 'Na beth od – mae Mam wastad yn dweud y dylwn i fyth siarad â dynion dierth ond mae hi'n 'neud e drwy'r amser.

Yn sydyn, sylwaf ar y bwthyn gwyrdd yn ffenest y siop teganau ar gornel y stryd. Rwy'n dwlu ar ei liw a'i siâp, ac mae'r cyffro tu mewn fel ffwrn Mam yn cynnau ar fore Nadolig. Codaf fy llaw ar Mam. Dim byd. Pan wasgaf fy nhrwyn yn erbyn y ffenest a llio'r gwydr, mae'r blas fel y moddion gwaetha.

Rwy'n esgus llefen. Dim effaith. Y cyfle ola. Sgrech.

'Gad dy nonsens.'

'Gaf i ddwy bunt a hanner?'

'Na.'

'Ti'n gas.'

'Mae bywyd yn gas. Y diawl bach, hwre.'

Mae Mam yn sefyll tu fas i'r siop. Rwy'n oedi. Mae'r dyn tu ôl y cownter fel Duw ar Ddydd y Farn yn llun llwyd Mam-gu sydd yn ei stafell wely. Llun a gafodd oddi wrth ei thad. Rwy'n siŵr fod y model yn un hud achos mae'r dyn yn ei lapio mor ofalus. Cydiaf yn dynn ynddo wrth adael y siop.

Jiw, 'na sbort yw cerdded drwy'r eira i'r Orsaf Fysys a'r dre fel cacen briodas. Mae Mam yn dawel heddi. Walle bod rhywbeth ar ei meddwl hi. Rwy'n lwcus i ga'l yr anrheg. 'Enjoia bywyd tra bod ti'n gallu.' Dyna beth mae Mam-gu yn dweud.

Wrth gerdded ar hyd is-ffordd, gwelwn drempyn yn gorwedd ar fainc, yn llawn gwynt cas. Mae'r iâ'n rhewi ei farf coch.

'Mae'r pethe hyn yn digwydd,' medd Mam. 'Ffawd.'

Pan ofynnaf beth yw ffawd, mae'n cerdded yn glouach. Walle bod ein bŷs ni'n gadael a'n bod ni'n hwyr. Ta beth, mae sŵn y lorïau a'r bysys yn llyncu fy nghwestiwn i, yn ei wasgaru fel slwtsh.

Ar ôl cyrraedd adre af i lan sta'r i weld Mam-gu. Mae hi wastad yn y gwely, fel awyren wedi cwympo o'r awyr, ac mae hi wastad yn y tywyllwch achos bod golau dydd yn brifo'i llygaid. Gwrandawaf yn astud. Pan yw'n anadlu, mae'r sŵn fel bochdew yn twrio mewn caetsh. Dyw hi byth yn cyfadde, ond rwy'n meddwl ei bod hi'n dda'n adwar anifeiliaid.

Aeth Dad â fi i Sŵ Bryste unwaith, a phan redodd y llew at flaen y caetsh, crynais i. Ond ces i fwy o ofon pan ddywedodd Dad y gallai'r llew gnoi drwy'r bariau a'n byta ni i gyd.

'Shwd chi'n teimlo?'

'Ddim yn rhy dda.'

Mae wyneb Mam-gu'n fel gwe corryn. Rwy'n dwlu ar Mam-gu am ei bod hi'n gallu dweud straeon tylwyth teg, a phob tro, mae'r diwedd yn hapus. Mae ei winc ar ddiwedd stori fel cyrraedd adre ar ôl sefyll gyda modryb gas:

'Beth sy' 'da ti yn dy law?'

'Dim byd.'

Yn sydyn, mae rhywbeth tu mewn i fi'n siarad. Gad dy gelwydd, medd y llais. Mae e fel hud – llais yn siarad tra bod fy ngwefusau i ar gau. Yr un peth â menig gwyn a thynnu cwningen o het. A dweud y gwir, yr un peth â'r bwthyn gwyrdd.

A dyma fi'n whare â syniad fel chwaraewyr yn pwnio pêl tenis dros rwyd. Gall y bwthyn hedfan i Lydaw yn yr haf a thyfu fel na fyddai raid i Mam a Dad dalu am westy. Gallwn ni i gyd ddefnyddio rhannau ohono pan mae angen drws newydd, ffenest newydd, neu pan mae teilsen yn diflannu o'r to.

Sgrech Mam o waelod y sta'r chwalodd y cyfan.

'Mae Mam-gu'n moyn llonydd.'

Jiw, 'na sbort caf i'n reido Shon, y ci defaid, fel cowboi lan a lawr llwybr yr ardd a rhwyd tywyllwch yn cwympo'n araf drosom ni. Pan yw Shon yn gwylltio, cwympaf yn fflachdar ar y sment ac mae'r saib hir fel baglu yng nghanol adnod nes daw'r sgrech.

''Na ti, mae Duw yn dy dalu di nôl.'

'Dyw Duw ddim fel 'na . . . '

Er fy mod i'n llefen o hyd, mae'r gwely'n braf a'r gobennydd fel bronnau Mam. Cyn imi gysgu'n sownd, gofynnaf ddau gwestiwn i Mam. Y cynta yw shwd mae crocodeil yn gwneud dŵr a'r ail yŵ shwd mae Duw'n gweld popeth.

'Sdim ateb. Mae'r llygaid yn mynd yn drwm. Gweddïaf yn glou. Sibrydaf. O Dduw, diolch am y bwthyn gwyrdd. Diolch am y bariau sy'n stopio'r llew.

Am ddau y bore pan mae popeth yn dawel ar wahân i'r cloc mawr yn y cyntedd sy'n gwneud sŵn fel milwr yn martsio, cripiaf i mewn i stafell Mam-gu. Yn dyner, dodaf y bwthyn gwyrdd o dan ei gwely. Bydd hi ddim yn grac achos mae hi'n deall fod y bwthyn yn fwy na thegan. Pan fydd hi'n well, fe af i ddangos iddi ble mae'r siop ar y gornel.

Ody pobol yn gallu gwrando yn eu cwsg? So i'n gwybod. Ond yn sydyn, mae hi'n troi yn ei gwely fel bad mawr mewn storm. Ac yn ochneidio. Mae'n hala ofon arna' i.

Dihunaf am chwech. Mae sŵn yn y tŷ, fel ochenaid isel, fel gwynt main ar hyd hewlydd gwag. Safaf wrth y drws. Yn stafell Mam-gu mae Mam yn eistedd wrth ochor y gwely'n llefen ac mae wyneb Dad yn wyn fel y galchen. Dyn dierth â wyneb pwysig sy'n tynnu blanced dros wyneb Mam-gu.

Rhedaf yn ôl i fy stafell wely. Alla' i ddim esbonio, ond mae wedi oeri'n sydyn ac mae'r cryd arna' i. Rwy'n moyn gweld ei hwyneb hi 'to a theimlo rhychau ei boch ar fy mys mawr. Ond mae'r llew wedi cnoi drwy'r bariau.

Chwyrlïo

Roedd y radio wedi tanio, y cyflwynydd wedi dweud 'Bore da' ond ni allai Ann ddihuno ei mam. Roedd popeth wedi dod i stop.

Agorodd y llenni. Roedd y dail brown tywyll yn hedfan yn y gwynt o flaen y parc fel conffeti; roedd digon 'da'i mam i ddathlu neithiwr – swydd newydd yn y *Co-op* a chyfle i dalu am anrhegion Nadolig. Ond nawr roedd hi'n difaru ei henaid, siŵr o fod. Roedd Ann wedi ei chlywed yn dod nôl o'r clwb am bedwar y bore. Am bump, tra oedd Ann yn esgus cysgu, roedd wedi gweld ei mam yn codi llaw arni wrth waelod y gwely.

Penderfynodd Ann beidio â'i dihuno, gan adael iddi gael ei chwsg haeddiannol. Ond y broblem oedd fod dim arian, dim nodyn, dim brechdanau na neb i'w hebrwng i'r ysgol. Meddyliodd am fynd yn ôl i'w gwely pan gofiodd eiriau ei mam. Roedd Ann wedi dod nôl o'r ysgol a dweud fod merch o Dŷ Rhiw wedi tynnu ei gwallt ar y bws.

'Profa dy ddur yn ffwrnais bywyd.'

Doedd hi ddim yn siŵr beth yr oedd ei mam yn ei feddwl ond roedd yn swnio'n dda ac roedd cwtsh ei mam yn well. Roedd yn mynd i fod yn ddiwrnod hir a byddai'n syniad cadw golwg ar yr amser. Felly cydiodd yn watsh aur ei mam oedd ar ben y seidbord. Gwrandawodd; roedd yn tician yn braf. Roedd yn chwarter i naw.

Tu fas i'r tŷ pan groesodd yr hewl canodd corn – stopiodd lori anferth o fewn troedfedd iddi a gwaeddodd gyrrwr arni, gan siglo ei ddwrn. Ond cerddodd ymlaen. Meddyliodd am wyneb ei mam yn y gwely fel grisiau marmor mewn amgueddfa – yn bert ond yn gadarn.

Cerddodd drwy glwydi du, haearn y parc ac eisteddodd ar fainc am ychydig funudau. Pam oedd raid i hyn ddigwydd heddi? Pam? Pam? Roedd y cwestiwn yn pwnio, yn debyg i forthwyl ar arch.

Pan edrychodd o gwmpas mewn hanner cylch ni welai ddim ond gwyrddni gwag; yn sydyn, roedd ei byd yn unig. Roedd y lle'n oer ac yn llaith, yn rhy oer i loncwyr hyd yn oed. Cododd. Am eiliad roedd yn moyn mynd adre, ond meddyliodd am y bysedd fyddai'n pwyntio at ei sedd wag ar y bws, y sibrwd a'r chwerthin. Ann Tŷ Draw, yn llefen y glaw.

Pan gododd y gwynt ar yr Hewl Fawr, dododd ei dwylo ym mhocedi ei chot law. Yn lle papurau losin, roedd amlen fach yn y boced dde ac arni roedd ei henw hi yn ysgrifen fregus ei mam – ysgrifen fel iaith arallfydol.

Sobrodd. Roedd corff ei mam wedi bod yn rhyfeddol o lonydd, fel delw'r Forwyn Fair a welodd mewn eglwys yn Llydaw pan oedden nhw ar eu gwyliau. Cofiodd am hen ddyn yn cynnau fflam cannwyll i goffáu ei wraig oedd wedi marw. Roedd ei mam wedi sibrwd yn ei chlust:

'Nage ofn sy'n bwysig ond shwd wyt ti'n ymateb.'

Ailgododd y gwynt. Crynodd fel fflam. Cerddodd dau grwt o'r ysgol Saesneg ati, gan ei gorfodi i gerdded ar yr hewl. Pan ruodd car mawr du heibio, tasgodd y dŵr mochedd drosti a chwarddodd y ddau. Triodd sychu ei teits trwchus â'i dwylo ac yna postiodd yr amlen yn frysiog; yr unig beth ar ei meddwl oedd ei gollwng i'r gwaelodion tywyll. Dianc, dyna beth yr oedd ei mam wedi trial ei wneud, dianc rhag ei chyfrifoldeb – mynd i'r clwb yn gynnar, gan ei gadael hi ar ei phen ei hun.

Dechreuodd fwrw glaw. Ugain llath o fynedfa'r ysgol roedd Miss Davies, Mr Jones a'r plant yn cysgodi dan dderwen fawr.

'Miss, edrychwch,' meddai Iolo. 'Mae Ann Tŷ Draw wedi cwympo mewn cariad.'

Roedd Ann yn rhythu ar ochor yr anghenfil o fws, ei gwallt heb ei gribo a'i lasys yn rhydd.

'Ti'n gall, ferch?'

'Miss?'

'Ie.'

'Dim byd.'

Siglodd hi, tynnodd hi'n ddiseremoni at y plant eraill, a gwaeddodd arni i glymu ei lasys. Tra oedd Ann yn plygu i lawr, sibrydodd rhai o'r plant tu ôl eu dwylo.

'Cest ti frecwast?,' meddai Johnny.

'Na.'

'Mam heb godi?'

Nodiodd Ann.

''Sdim gwaith yn ei chroen hi.'

Clymodd Ann lasys yr ail esgid yn dynnach. 'Yn eich rhesi, blant,' meddai Mr Jones.

Gwenodd y gyrrwr ar Ann wrth iddi fynd ar y bws. Roedd yn debyg i Wncwl Dan, meddyliodd – yr un mwstash chwareus a'r llond pen o wallt du. O'r blaen, roedd e wastad wedi dod pan oedd argyfwng, ond y bore hwnnw, doedd e ddim wedi ateb y ffôn. Efallai roedd ar shift fore, meddyliodd, neu efallai ar ei wyliau. Wedi'r cwbwl, roedd bywyd yn mynd yn ei flaen, ac ni allai hi ei feio os oedd e'n moyn cadw draw; yn aml roedd wedi cael ei alw i'r tŷ yn oriau mân y bore. A'i mam wedi ei dannod am ffonio.

Roedd yn siwrne hir. Roedd Billy'n moyn bod gyda'r bechgyn tra eisteddai Ann ar ei phen ei hun. Bob tro yr edrychai hi'n ôl, byddai Mair ac Esyllt a merched y sedd gefn yn edrych arni, yn troi at ei gilydd, ac yn chwerthin.

Y peth gorau oedd chwarae gêm yn ei meddwl. Edrychodd ar y cymylau. Roedd wedi chwarae'r gêm hon o'r blaen; weithiau ro'n nhw fel badau, weithiau fel creigiau. Ond heddi, roedd ei dychymyg ar stop fel gwêr caled.

Ym Mhont Abraham stopion nhw am hoe. Cuddiodd Ann yn y tŷ bach am hanner awr ond pan gerddodd heibio'r ffreutur, roedd y plant eraill yn dal i fyta. Pan gnociodd, agorodd drws y bws.

'Shwd mae dy fam?'

'Iawn, diolch.'

'Cofia fi ati hi. Mae hi mor weithgar. 'Se rhywun fel hi ym mhob pentre yng Nghymru, byddai gobaith 'da ni.'

Daeth y plant yn ôl heb edrych ar Ann, ar goll yn eu hwyl eu hunain. Pan oedd y bws yr ochor arall i Gaerfyrddin eisteddodd Iolo wrth ei hochor.

'Ti'n credu mewn . . . ysbrydion?'

'Wedodd Mam bod nhw ddim yn bod.'

'Dyw dy fam ddim yn gwbod dim. Mae un ar y traeth.'

'O's e?'

'A dim ond plant sy'n llefen sy'n ei gweld hi.'

Cododd Iolo, cerddodd i gyfeiriad y sedd gefn, trodd yn ôl, gan wenu. Cyffyrddodd Ann â'r ffenest. Roedd fel talcen ei mam y bore hwnnw – fel dolen drws ei char yn y gaea, a chofiodd ei geiriau fis yn ôl tu fas i fynedfa'r ysgol:

'Paid â gadael iddyn nhw ga'l y llaw ucha.'

Rhuthrai'r bws heibio'r perthi oedd yn troi'n garped hir, gwyrdd a chaeodd Ann ei llygaid, gan obeithio y byddai'r carped yn mynd â hi i wlad hud.

Pan gyrhaeddon nhw Ddinbych-y-pysgod cerddodd y

plant fesul dau i'r traeth tra cherddai Ann rhwng Miss Jones a Mr Davies. Newidiodd y plant yn sydyn a rhedeg i mewn i'r tonnau, gan adael Ann i ofalu am y dillad oedd ar wasgar. Doedd hi ddim yn gallu nofio, doedd hi byth wedi mentro ac roedd ei mam fel arfer yn hala nodyn. Pan gwynodd Ann, roedd ei mam wedi dweud fod amser i bopeth.

Roedd Miss Davies a Mr Jones yn eistedd ar y cadeiriau traeth, y naill yn gwau a'r llall yn darllen ei bapur dyddiol. Gwenodd y ddau ar ei gilydd. Mor braf oedd dianc rhag carchar y stafell ddosbarth ac anadlu awyr iach y môr. Roedd diwedd tymor yn agosáu a'r haul yn codi yn yr awyr.

Pan ddaeth y plant yn ôl roedd Ann yn cysgu, yn gorwedd fel babi mewn croth. Edrychodd Johnny ar Iolo. Safodd Johnny uwch ei phen, siglodd ei wallt, a diferodd y dŵr dros ei hwyneb. Chwarddodd y plant. Dihunodd Ann, gan edrych yn rhyfedd ar bawb – edrychent fel tylwyth o gwmpas gwely rhywun yn marw. Cododd Ann, gan rwto ei gwefusau.

''Wnewn ni stopio dy boeni di,' meddai Iolo.

'Paid â ca'l ofon,' meddai Mair. ''Wnewn ni ddim niwed iti.'

Roedd y dŵr yn hallt o hyd – yn wahanol i'r blas ar geg ei mam. Beth oedd enw'r stwff? O, ie, roedd ei mam wythnos yn ôl wedi adrodd hwiangerdd ddwl:

'Whisgi, cysgu, 'sdim pwynt poeni . . . '

'Wyt ti'n moyn bod yn un ohonon ni,?' meddai Iolo.

'Wnaf i unrhyw beth.'

Dododd Iolo ei law ar ei hysgwydd a sibrydodd yn ei chlust.

'Na beth od, meddyliodd Ann; roedd gwydr wedi bod ar ben y cwpwrdd bach wrth ochor gwely ei mam lle arferai gadw ei photel tabledi cysgu.

* * *

Am dri o'r gloch roedd y merched yn maesu, Mr Jones yn sefyll tu ôl y wicedi a Johnny'n bwrw'r bêl heibio'r bowliwr. Roedd Miss Davies yn gapo ac yn troi ei chadair i wynebu'r haul. Roedd Ann wedi cael ei gorchymyn i sefyll wrth linell a gafodd ei thynnu yn y tywod rhag ofn y byddai rhywun yn bwrw'r bêl yn bell.

Doedd neb wedi sylwi. Roedd y bechgyn yn colli o ugain rhediad a Johnny, y batiwr ola, yn trial ei orau. Roedd Ann ar ei phedwar tu ôl cadair Miss Davies a'i chalon yn mynd fel y felltith. Ond roedd hyn yn llawer gwell nac aros yn naeargell ei meddwl.

Hwrê, gwaeddodd y merched. Roedd Johnny wedi cael ei fowlio ac wedi taflu ei fat i'r awyr.

Dilynodd Mair ac Esyllt hi i'r tŷ bach ar ochor orllewinol y traeth. Doedd neb o gwmpas. Closiodd y ddwy at Ann, a gwagio bag du Miss Davies ar y llawr – y trugareddau, allweddi a'r cardiau credyd. Bu bron iddi ddweud wrthyn nhw beth oedd ar ei meddwl. Ond pallodd y ddwy ddodi'r cynnwys yn ôl yn y bag a phan ymbinciodd Mair ac adwar Miss Davies, diflannodd y wên oddi ar wyneb Ann.

'Ann, ble ti'n mynd? Tyfa lan, wnei di?'

Dywedodd Mr Jones y byddai'r bws yn gadael mewn hanner awr. Gofynnodd i Mair ac Esyllt ble roedd Ann.

'Yn y tŷ bach.'

'Ody hi'n iawn?'

'Wel, mae'n bihafio'n od,' meddai Mair.

'Co hi,' meddai Mr Jones. 'Walle gall e bwnio tipyn bach o sens i mewn i'w phen hi.'

Ar lan y môr roedd Iolo wedi dodi ei fraich am ei chanol.

'Beth sy'n bod?'

'Dim.'

'Bydd popeth yn iawn pan ddaw dy fam i gwrdd â ti.'

Rhewodd corff Ann a thynnodd hi ei fraich yn rhydd.

'Mae mam 'da ti, o's e?'

Cerddodd ef yn ôl at y lleill. Wrth i'r môr lapio ei thraed, sylwodd ar rywbeth; nage ewyn oedd e achos roedd yn dywyllach, yn fwy sinistr. Roedd pawb am weld y môr yn lân, ond roedd wastad rhyw gwmni slei'n llygru'r dyfroedd, meddyliodd.

Roedd y lleisiau yn ei meddwl yn chwyrlïo fel gwylanod uwchben bwyd.

'Mam, rwy'n mynd i barti Iolo. Bydda i ddim yn hwyr.'

'Mwynha dy hun tra bod ti'n ifanc . . . '

Cofiodd Ann ei llais aneglur a'r flanced yn cael ei thynnu fel ton yn pwnio craig.

Yna clywodd Iolo'n sgrechen bloedd rhyfel a gwelodd y plant eraill yn rhedeg tu ôl iddo o amgylch y traeth. Trodd yn ôl i wynebu'r môr.

Daeth y plant o hyd i foncyff wrth graig, a llwyddodd chwe bachgen i'w gario nes i'r llanw gydio ynddo a'i dynnu i mewn. Saliwtiodd Johnny a gwnaeth Iolo sŵn trwmped wrth ganu'r *Post Ola,* ei fysedd yn fywiog a'r pren yn llonydd.

Edrychodd Johnny ar Ann ac yna edrychodd ar Iolo. Gwenodd y ddau ar ei gilydd. Ceisiodd Ann ymladd yn ôl pan gydion nhw yn ei chorff a'i gollwng yn ddiseremoni, ond ro'n nhw'n drech na hi. Tra oedd dau fachgen yn ei dala i lawr, roedd Mair ac Esyllt yn ei chladdu yn y tywod a Johnny ac Iolo'n dawnsio o'i chwmpas gan weiddi, fel gweiddi ei mam yn y gegin pan oedd yn ffaelu ffindo potel a'i llygaid fel llygaid y Gŵr Drwg.

Roedd y tywod wedi cyrraedd ei cheg. Poerodd.

'Sh, mae'n trial dweud rhywbeth,' meddai Mair.

'Ble mae'r . . . ysbryd?,' gofynnodd Ann.

'Fel 'na mae,' meddai Johnny. 'Ti'n moyn iddi ddod ond dyw hi byth yn cyrraedd.'

Estynnodd Mair ei llaw i Ann.

'Gad hi fod,' meddai Iolo. 'Dyw hi ddim yn llawn llathen.'

Diflannodd y plant. Roedd angen dihuno Miss Davies – roedd y gyrrwr bws yn canu ei gorn. Cododd Ann yn araf. Roedd ei dillad yn drymach am fod y tywod ychydig yn wlyb. Yn sydyn, roedd y traeth yn unig fel stafell wely ei mam, a'r môr yn arw fel gwely anniben ac yn rymus; gallai ymgolli ynddo – nid oedd unman arall i droi. Wrth gerdded i mewn, roedd y tywod yn suddo o dan ei thraed.

'Miss, edrychwch,' meddai Iolo.

Tynnodd Miss Jones ei sgidie, cododd ei sgert a rhedodd i mewn i'r môr. Roedd Ann yn penlinio a chredai'r plant, oedd yn chwerthin y tu ôl i'w dwylo, ei bod yn gweddïo. Cafodd Ann ei thynnu i'r lan a'i gollwng yn sydyn.

'Sa' di nes bod fi'n siarad â dy fam.'

Pan bwniodd Ann y tywod â'i dwrn siglodd Miss Jones hi. Yna cyrhaeddodd Mr Jones a dywedodd fod Mair ac Esyllt wedi dod o hyd i fag lledr, du yn y tŷ bach.

'Pwy ddygodd hwn?'

Trodd llygaid y merched o Miss Davies at Ann.

'Rwy'n aros am esboniad ac ymddiheuriad.'

Y cyfan allai Ann ei wneud oedd chwilio drwy ei

phocedi, tynnu mas watsh ei mam a'i rhwto â'i bys bawd. Rhwtodd a rhwtodd, gan obeithio y byddai'n rhyw fath o gysur.

'Wel?'

'Mae'n oer o hyd, Miss.'

Lôn ddianc

Dwi ddim yn gwbod shwt digwyddodd hyn; byddai ateb yn lleddfu'r lo's sy' fel craig finiog yn hwpo mas o'r môr. O'n nhw ddim yn gallu gofalu am eu pobol eu hunain ac, wrth imi gau'r llenni'n araf, ro'n nhw'n cau rhengoedd.

Y bore cynta yn y swyddfa tynnodd Iolo sylw Jane pan oedd yn tynnu ei chot fawr, las. Symudodd ei fys blaen ar draws ei wddwg.

'Beth sy'n bod?'

'Mae hi am dy waed di.'

'Pam?'

'Rwyt ti'n hwyr.'

Pan gerddodd mas o swyddfa Miss Jones roedd hi fel drychiolaeth, ond ceisiodd foddi ei hun yn ei gwaith. Un fel 'na oedd hi; yn y coleg helpodd wragedd oedd yn cael eu pwnio gan eu gwŷr – doedd dim clem 'da hi y gallai hyn effeithio ar ei gwaith coleg yn y flwyddyn ola.

Roedd rhaid i mi ddweud y drefn rhag ofn y byddai popeth yn mynd yn drech na hi. 'Os na allwn ni helpu ein gilydd, 'sdim pwynt byw,' meddai, a'r saib hir yn tanlinellu ei phwynt.

Un o'i chleifion yn ei swydd newydd oedd John Rawlings, pump ar hugain oed, yn diodde o glefyd y meddwl, ac yn byw ar Stad Penrhys yn y Rhondda. Yn eu cyfarfod cynta, roedd Jane wedi sôn am ei rheol euraidd.

'Rwy'n disgwyl i ti ymddwyn fel rwy'n ymddwyn 'da ti.'

'Mae popeth yn cau amdana i.'

'Na. Gyda'n gilydd down i ben â hyn.'

Dywedodd wrthi taw hi oedd ei lôn ddianc. Doedd hi ddim yn gwbod beth oedd lôn ddianc tan yr oedd hi'n bump pan o'n ni ar ein gwyliau yn ne Cymru, yn gyrru'r Triumph Herald gwyrdd o Benarth i Gaerdydd. Roedd hi'n chwarae gêm newydd – darllen arwyddion ffyrdd. Wrth nesáu at Dyle Lecwydd, newidiais i i'r gêr niwtral a phlymiodd y car yn sydyn.

'Collais i honna, Dad.'

'Lôn ddianc.'

'Dianc o beth?'

'Os wyt ti mewn picil, mae honna'n dy helpu.'

Pan edrychais i yn y drych roedd ei cheg yn blasu'r ddau air newydd.

Doedd Miss Jones ddim yn hoffi Iolo; efallai ei fod yn rhy barod i'w hateb yn ôl mewn cyfarfod, a gallai adwar ei llais dwfn a'i hoff ymadroddion fel 'Ydy hynny'n glir?' Pentyrrodd hi'r gwaith ychwanegol arno nes iddo welwi, colli pwysau, ac, yn y diwedd, ymddiswyddo ar ôl tri mis. Pan oedd yn clirio ei ddesg, edrychodd ar Jane.

'Beth wyt ti am wneud?'

'Mae 'da fi forgais, cofia.'

'Tu fas i'r twll hyn mae 'na fyd mawr arall.'

Addawodd Miss Jones y byddai'n llenwi'r swydd yn fuan, ond Jane oedd yn gorfod gofalu am gleifion Iolo, a phob tro y cwynai Jane wrthi, yr ateb oedd:

'Rhaid inni anelu at berffeithrwydd, cyrraedd yr uchelfannau.'

Un bore cañodd y ffôn. Ni allai Jane ganolbwyntio.

'Plis, plis, plis . . . '

Roedd y geiriau fel dryll na allai saethu am ei fod wedi'i gloi.

'Gan bwyll. 'Sdim llawer o amser 'da fi.'

Ymolchodd Jane yn glou, gwisgodd yn sydyn ac ymbinciodd yn y car. Roedd hi'n hanner awr wedi wyth. Er bod cyfarfod misol am naw, aeth draw i Benrhys. Ar y ffordd yn ôl, roedd lori wedi troi drosodd ac yn gorwedd ar draws yr hewl ddeuol fel morfil yn crogi o nenfwd amgueddfa.

Pan gyrhaeddodd y swyddfa, roedd hi'n gwenu am y tro cynta ers misoedd. Roedd hi wedi ei berswadio i ailgymryd ei dabledi, fod 'na bwrpas mewn byw, ac wrth iddi adael ei fflat, roedd wedi ei gofleidio ac roedd eiliadau fel hyn yn ddigon iddi ddal ati.

Cerddodd i mewn i'r ystafell gyfarfod ar y llawr cynta. Sibrydodd ei hymddiheuriad wrth eistedd i lawr ar un o'r cadeiriau oedd wedi eu gosod mewn cylch.

'Dwi ddim yn hido am byliau John Rawlings,' meddai Miss Jones. 'Eich dyletswydd yw bod yma'n brydlon.'

Edrychodd Jane i lawr; nid oedd unlle arall i edrych, roedd ei hunanhyder fel darnau llestri tsieina ar chwâl ar lawr cegin.

'Dyna ddigon am heddi',' meddai Miss Jones ar ddiwedd y cyfarfod.

Cerddodd pawb mas o'r stafell yn dawel. Y noson 'ny ffoniais i Jane am naw o'r gloch. Roedd hi newydd gyrraedd adre ac roedd ei llais yn crynu oherwydd yn y coridor o flaen dau weithiwr cymdeithasol arall, roedd Miss Jones wedi codi ei llais a mynnu y dylai Iechyd y Meddwl fod ar wahân i Wasanaethau Cymdeithasol. Ond roedd Jane yn araf ac yn rhesymegol wedi dweud fod angen cyfuno'r ddwy adran fel na fyddai neb yn cwympo drwy'r rhwyd. Dechreuodd Miss Jones ymosod arni'n bersonol.

'Rydych chi'n naïf iawn.'

'Stwffiwch y blydi job.'

Ar y ffôn ddeuddydd yn ddiweddarach, roedd mwy o hwyl arni. Roedd hi wedi ymddiheuro, meddai, ac wedi dodi'r ffrae yn ei chyd-destun. Nage mympwy'r funud oedd yn bwysig, meddai, ond cynllunio tymor-hir.

Teimlais i'n well, ond yn ystod y misoedd nesa rhwng Medi a Thachwedd aeth pethau o ddrwg i waeth. Mynnodd Miss Jones neu ei dirprwy ffonio Jane drwy'r dydd, gan ofyn iddi ble oedd hi a beth yr oedd yn ei wneud. Weithiau, roedden nhw'n holi a oedd hi wedi cau ffenestri ei swyddfa yn y nos.

Teimlai Jane fod raid iddi ateb y ffôn neu byddai hi mewn mwy o drafferth. Bob tro y canai'r ffôn gartre, curai ei chalon yn glou am ei bod yn amau taw Miss Jones neu ei dirprwy oedd ar y lein, a thinc gwawdlyd yn eu lleisiau.

Ar y nos Fawrth ffoniais i Jane, gan awgrymu y dylai fynd ar wyliau.

'I ble, Dad?'

'Unrhyw le sy'n ddigon pell.'

'Bydd yn realistig.'

'Fi yw'r un sy'n realistig.'

'Alla' i byth droi fy nghefen arnyn nhw. So' i'n moyn gollwng neb i lawr.'

Amser te nos Iau cafodd Jane alwad ar ei ffôn symudol yn ei gorchymyn i fynd ar unwaith i Stad y Gurnos, Merthyr, i 'ddatrys argyfwng teuluol'. Ar y pryd roedd ynghanol trafodaeth sensitif â dyn ifanc oedd wedi bygwth lladd ei hun. Tra oedd yn gwisgo ei chot dododd ddarn o bapur yn ei law.

'Hwn yw fy rhif ffôn. Ffonia fi unrhyw amser ti'n moyn.'

Cyn iddo sylweddoli beth oedd yn digwydd, roedd y drws ffrynt wedi cau a'r tŷ'n llonydd. Pan agorodd y papur, roedd yn wag. Rhedodd y dyn at y glwyd ond roedd ei char wedi mynd. Mewn hanner awr cyrhaeddodd hi Stad y Gurnos lle roedd y fam a'i merch yn smocio wrth bwyso'n erbyn wal tu fas i'r fflatiau llwyd.

Gofynnodd Jane a oedden nhw'n iawn. Gofynnodd eto. Trodd y fam i edrych arni.

''Na ffrog gwyn neis. Pwy y'ch chi, te? Angel ar ben colfen Nadolig, ife?'

Camodd Jane yn ôl. Chwythodd y fam fwg i'w llygaid.

'Cerwch i uffern.'

Cerddodd yn araf at ei char, pwysodd ei phen ar ei dwylo ar ben y Renault coch tra chwarddai'r ddwy'n uchel. Wrth i'r glaw bylu'r ffenest flaen, gyrrodd ar hyd yr hewl gul wrth i'r mynyddoedd mawr du gau am ei char.

I fflat John Rawlings yr aeth hi.

'Dyw hyn ddim yn iawn,' meddai.

'Beth wna' i?'

'Mynd i'r eitha.'

Ar y nos Wener galwodd Jane yn ddirybudd yn y tŷ yn Slough a sefyll dros nos. Tan oriau mân y bore siaradon ni yn y stafell fyw nes i'r tân glo ddiffodd heb inni sylweddoli. Pan ddywedais i 'mod i'n becso, gwenodd.

'Cortyn rhy dynn a dyrr.'

'Beth?'

'Gwranda, wnei di?'

'Mae bywyd yn rhy fyr.'

Fore Sadwrn gwelais i Jane am y tro ola, a phan gofleidiais hi ar garreg y drws, roedd ei chorff yn fwy bregus nac arfer. Trodd y ffenest i lawr, switsiodd y miwsig pop arno'n uchel a gyrrodd bant yn glou. Roedd hi wedi addo y byddai'n carco ei hun, ond roedd hi fel pinbel yn cael ei hyrddio i bob cyfeiriad; doedd dim llonydd nes iddi suddo i'r gwaelod.

Y noson 'ny ffaelais i gysgu. Ces i freuddwyd am Jane yn ddeg oed ar drip ysgol yn Sain Ffagan. Mis Rhagfyr oedd hi – roedd deg yn ein grŵp ni, a phan gyrhaeddon ni'r tŷ coch, sylweddolais fod Jane ar goll. Chwiliais drwy'r tai i gyd, yr Orielau a'r Castell, ond doedd dim sôn amdani. Roedd y gofalwr canol oed yn edrych ar ei watsh bob pum munud am ei fod i gloi clwyd y maes parcio am saith.

Yn sied y turniwr pren ger y Castell yr oedd hi – wedi crwydro i mewn yn dawel a rhywun wedi cau'r drws o'r tu fas arni. Prin y gallai ei llygaid brown ddala'r dychryn, a theimlais guriad ei gwaed oedd fel ergydion ar ddrws. Roedd ei dwylo'n oer clai.

Roedd hi wedi codi ar flaenau ei thraed, meddai, ac estyn ei chorff bach i drechu'r tywyllwch.

Roedd hi'n moyn gweld y gorwel, meddai – edrych drwy'r ffenest ar y lamp fawr, groesawgar ym mhen draw'r iard uwchben drysau mawr porth y Castell.

'O'dd dim ffordd mas.'

'Bydd e byth yn digwydd 'to.'

Nofio ar fôr o forffin

Mae'n oer yn y stafell ac mae rheswm am hynny. Pan welaf Dad mewn gŵn gwyn, mae'n well 'da fi ei gofio fel yr oedd, yn arian byw.

''Na ti,' medd Mam, gan rwto ei dalcen. 'O't ti'n lico hwnna yn yr ysbyty. Rwy'n siŵr fod ei lygaid wedi agor.'

'Sioc, Mam. Watsia dy gefen.'

'Rwy'n iawn.'

Ond mae'n codi'n llafurus ac yn araf.

'Alla' i ddim ei gyrraedd e.'

Awn o'r tŷ hebrwng heb lofnodi'r gofrestr. Wrth edrych yn ôl, mae'r rhan fwyaf o'r digwyddiadau fel rhes o luniau erchyll mewn oriel ac rwy'n teimlo fel glöwr yn aros yn ddisgwylgar; dan ddaear yn bell, mae'r walydd yn siglo ond rywbryd, 'sdim dal pryd, bydd y to'n cwympo.

* * *

Hydref, 1997. Yn y stafell fyw roedd cerddoriaeth Mozart ar y radio a Mam yn gwau, yn canmol y gwasanaeth angladdol. Na, meddai Dad, doedd e ddim yn moyn hen ddyn diflas â llais undonog yn crynhoi ei fywyd e. Yna cododd yn fregus cyn pipo drwy'r llenni tenau, porffor ar yr hewl dywyll islaw.

'Fyddi di'n ailbriodi?'

Stopiodd hi wau; ailddechreuodd.

'Mae byw gyda ti am gymaint o amser yn golygu . . . bod dim eisie dyn arall arna' i.'

Pan gynigiodd hi wneud coffi siglodd ei ben. Cynigiodd wneud swper; roedd yn ddeg o'r gloch, yr amser arferol, ac ers amser te roedd sbarion ham ar ôl.

''Smo ti'n gwrando arna' i. Rwy'n mynd lan i'r gwely.'

Wrth iddo gerdded heibio ei chadair esmwyth, cododd hi, cydiodd yn ei law llipa a gwenodd arno.

'Ewn ni lan 'da'n gilydd, ife?'

Wythnos wedyn cafodd y meddyg teulu ei alw ar frys yn oriau mân y bore. Ar ôl i'r meddyg archwilio Dad, gofynnodd a allai siarad â Mam. Ond roedd Dad yn sgrechen o'r ystafell wely fel dyn gwallgof.

Gofynnodd y meddyg iddi eistedd i lawr yn y gegin.

'Rwy'n rhoi garlleg iddo fe.'

'Garlleg?'

'I gadw'r diawled draw.'

Roedd sgrech uwch y tro hwn.

'Henaint yw e,' meddai Mam.

'Mae e mewn poen.'

Roedd y sgrech nesa bron yn arallfydol. Trodd Mam i edrych drwy'r ffenest. Wedodd y meddyg y gallai roi rhywbeth at nerfau Mam. Na, meddai, roedd hi wedi dygymod o'r blaen a gallai hi wneud yr un peth eto.

'Y tro hwn mae'n wahanol.'

Hongiai'r geiriau yn yr awyr fel llawr swyddfa ar ôl daeargryn.

'Mae 'da fi lot o bethe i 'neud,' meddai Mam.

Cerddodd y meddyg i lawr y grisiau heb gael ei hebrwng.

Weithiau, ddim yn amal, gwenai Mam wrth gofio digwyddiad ddwy flynedd yn gynt pan oedd hi a Dad yn siopa yng Nghaerdydd. Y chwerthin hwn oedd yn ei chadw'n gall, meddai. Roedd hi wedi addo na fyddai'n dweud wrth neb am yr hyn oedd wedi digwydd.

Ro'n nhw wedi bod yn chwilio am awr am wely newydd ar lawr cynta siop *David Morgan*. Roedd Dad wedi sylweddoli fod yr amser wedi mynd yn glou a bod angen symud y car yn sydyn o'r maes parcio pumllawr. Dalodd y ddau y grisiau symudol ond bod Dad ddeg llath ar y blaen. Gwaeddodd Mam arno. Trodd pawb i edrych. Roedd y grisiau symudol yr oedd arnyn nhw'n mynd i'r islawr yn lle'r llawr gwaelod.

'Sori, o'n i ddim yn moyn dy golli di.'

'Dim ond pedair staeren o'r top o'n i. O'n i'n siŵr y gallen i droi a . . . '

'Mynd yn erbyn y lli'?'

'Wel, ie.'

Llithrodd Dad a chwympo fel sgitlen wedi ei tharo gan bêl. Ni allai Mam ofyn a oedd yn iawn achos roedd hi yn ei dyblau. Cododd Dad yn araf achos roedd wedi cleisio ei ben-glin a'i ego.

* * *

Ionawr 2000. Nage hwn yw'r amser, ond mae Mam yn mynnu ein bod yn cael ein llun wedi ei dynnu yn ein dillad du – Mam, fy mrawd, a fi, yn stafell fyw ei fflat un-llawr. Cliciaf y camera, gan drial crisialu profiad ar chwâl. Gall rhywun wenu ar adeg fel hon?

Yng nghefn y car hir, llyfn, du mae Mam yn pipo weithiau ar yr arch yn y car cynta, yn cadarnhau fod ei hunllef yn fyw, bod ei harian byw yn llonydd. Rywsut, so' i'n gwbod shwt, mae'n rheoli ei hun fel y clawr sy' mor dynn ar yr arch frown olau. Heb inni sylweddoli bron, yn ara' foethus, ry'n ni'n cael ein cludo yn y car hir, llyfn ar y lledr sgleiniog sy'n lleddfu dim. Dim yw dim.

Gogleddwr yw'r gweinidog yng nghapel yr amlosgfa.

'Ti'n iawn, Mam?'

'Mae ei Gwmra'g e'n ddwfwn.'

Dyma ni ar felt symudol marwolaeth; roedd un

angladd cyn hwn a bydd un ar ôl, cyrff yn cwympo a busnes ar i fyny, eirch yn llenwi a bywydau'n gwacáu. 'Sdim llanw a thrai yn y diwydiant hwn.

Er mor angerddol mae pobol yn canu *Bryn Calfaria*, alla' i ddim peidio â sylwi pa mor fach yw'r capel – tamaid o adeilad yng nghanol gwastadedd mawr.

Mae'r gwasanaeth yn rhy fyr a'r rhes o gysurwyr tu fas yn rhy hir. Ody Mam yn mynd i ddala? Mae ei het fregus, ddu yn ysgwyd yn y gwynt, ond mae'n llwyddo i'w dala a phara â'r ddefod o siglo llaw. Fel croesau mawr ar ongl mewn mynwent mae'r dynion yn edrych i lawr arni.

* * *

Dwi ddim yn siŵr pryd yn gymwys y dirywiodd Dad, ond tair blynedd yn ôl penderfynodd Mam drefnu syrpreis – penwythnos yn Weymouth ble buon nhw ar eu mis mêl yn 1946.

Sefon nhw yn yr un stafell yn yr un lle gwely a brecwast – tŷ pinc hanner can troedfedd o'r traeth. Lle delfrydol, meddai Dad, ac am y tro cynta ers misoedd, cochodd ei fochau.

Fore trannoeth roedd hi'n pigo glaw, a mynnodd Dad y dylen nhw fynd i weld y *Mary Rose* yn Portsmouth. Doedd Mam ddim yn frwdfrydig, ond roedd hi eisiau ei fodloni.

Roedd hi'n iawn nes iddi weld y bad; roedd yn debyg i rywun yn twlu clogyn dros ei phen, meddai, yn yr ogof fawr, laith. Pan ddaliodd Dad ei llaw, teimlodd yn well nes iddi glywed sŵn isel yn sisial, ac mewn pum munud cafodd ei llenwi gan ofn mwy – y byddai'r sŵn isel am ryw reswm yn stopio. Gofynnodd Dad gwestiwn i'r gofalwr. Y sŵn isel oedd dŵr yn chwistrellu, meddai, yn cadw'r pren yn wlyb. Heb y dŵr, byddai'r pren yn chwalu.

Y noson honno triodd Dad ei orau i godi calon Mam yn y dafarn. Er iddo brynu tair whisgi iddi, roedd yr ofn yn cloi ei meddwl. Gadawon nhw'n gynnar. Wrth iddyn nhw gerdded ar hyd y prom lliodd ton uchel dop wal y traeth fel tafod anghenfil.

* * *

Hydref, 1999. Roedd tri ohonom mewn stafell fach, dawel ymhell o'r ward brysur a'r byd, fel cilfach barcio, lle i tsiecio'r map os oedd rhywun wedi cymryd troad anghywir.

'Chi ddim yn dala fy llaw, te?' meddai Mam.

'Na,' meddai'r meddyg ysbyty.

Roedd hon yn ifanc iawn – newydd adael y Coleg efallai. Fel dol yn dal yn ei phapur lapio, wedi darllen digon o lyfrau efallai ond heb ddysgu am boen.

Gofynnodd Mam pryd y byddai Dad yn dod adre. Roedd y llonydd yn annifyr a'r stafell yn rhy fach i lonydd fel hyn.

'Dewch. Hwn yw'r ysbyty gore gyda'r doctoriaid gore. Chi bownd o fod yn gwybod.'

Edrychodd y meddyg ar y ffeil a dywedodd fod Dad wedi cael llawdriniaeth chwe blynedd yn ôl.

'Wel, os o's rhaid iddo fe ga'l un arall . . .'

'Roedd yn rhaid iddo gymryd tabledi arbennig.'

Roedd llais y meddyg fel anesthetig.

'Maen nhw'n gallu defnyddio laser nawr . . .'

Pan wrthododd y meddyg lenwi'r saib sylweddolodd Mam yn araf; roedd siâp llun yn dod yn glir mewn stafell dywyll – manylyn dibwys o'r gorffennol yn chwyddo, yn magu ystyr ofnadwy, yn rhuthro drwy glawdd destlus ei bywyd fel tanc.

Roedd y llawfeddyg wedi dod o hyd i rywbeth. Dim byd i fecso amdano, meddai ar y pryd, ond bod Dad yn cymryd y tabledi bob dydd am weddill ei fywyd.

'Rwy'n flin,' meddai'r meddyg, a'i llygaid yn llenwi. 'Mae'r cancr wedi lledu o'r prostad i'r afu . . . '

'Faint o amser?'

'Diwrnodau, wythnosau, pwy a ŵyr?'

'Bydd e'n moyn dod adre.'

A chan ein bod yn yr ysbyty, aethon ni i'r stafell unwely er mwyn trial siarad ag e. Rhuthron ni heibio'r nyrs ganol oed oedd yn gwenu'n groesawgar tu ôl i'w desg, a sefyll yn stond. Roedd Dad yn berffaith lonydd.

'Dyw e ddim mewn po'n?'

'Na, sa' funud, Mam, rwy'n mynd i alw'r nyrs . . . '

* * *

Rhagfyr 1999. Wythnos cyn y diwedd siaradodd Mam â nyrs ifanc, bump ar hugain oed o Ganada, yn dal ac yn denau â gwallt du a llygaid brown, treiddgar. Gallai ei gwên chwalu amheuon fel haul yn dadleth llwydrew ar ffenest flaen car.

Roedd Mam wedi bod yn eistedd wrth ochr gwely Dad am ddwy awr wrth i'r nyrs lenwi ffurflen ar ei desg. Gofynnodd Mam a oedd hi'n dod o Toronto. O Manitoba, meddai, siwrne tri diwrnod o Toronto.

Er nad oedd Mam yn ei hadnabod, dechreuodd siarad er mwyn trial llacio'r cwlwm oedd yn ei meddwl. Yn y rhyfel, meddai, pan oedd yn nyrsio yn Llundain, cyrddodd â pheilot o Doronto mewn caffi. Fe gyflwynodd ei hun.

'Oedd e'n gwybod?' gofynnodd y nyrs, gan bwyntio'i bys at y stafell un-wely.

'Na, roedd e yn yr Eidal.'

Cafodd y peilot ei saethu uwchben Berlin, meddai Mam. Roedd yn aml yn gofyn i'w hun a oedd ei deulu yng Nghanada'n dal yn fyw.

Caledodd llygaid y nyrs.

'Mae'ch gŵr angen chi nawr yn fwy nag erioed.'

Aeth Mam yn ôl i'r stafell un-gwely lle roedd y gwynt cas yn fwy . . . yn ymwthiol, fel rhywun yn hwpo i mewn i barti heb ei wahodd, yn llio gweflau, yn llygadu diod a bwyd. Roedd y cancr fel ci'n cnoi asgwrn. Pan gydiodd hi'n dyner yn ei law, doedd dim ymateb. Chwiliodd o dan y flanced a gwelodd y tiwb; roedd yn nofio ar fôr o forffin.

* * *

Tachwedd 1999. Hwn yw fy nghyfle ola. Anadlaf yn ddwfwn tu fas. Bydd yn ddewr. Mae athletwyr yn ei 'neud e cyn ras, creu delwedd gadarn yn y meddwl cyn y weithred. A'r ddelwedd yw fi a Dad yn cofleidio ein gilydd am fod rhwystr wedi ei symud.

Rwy'n barod. Cerddaf yn hyderus i mewn.

'Shwd wyt ti? Ti'n well?'

'Sdim ymateb i ddechrau. Yna mae'n yfed sudd oren drwy welltyn fel cyw mewn nyth. Draw â fi at y ffenest; os yw'r olygfa'n banoramig o'r pumed llawr, gwaith dur Llanwern ar y chwith, Môr Hafren a bryniau brown tywyll Gwlad yr Haf yn syth ymlaen, rwy'n gwbod fod y corff yn y gwely yn crebachu.

Eisteddaf ar y stôl a phlygaf ymlaen. Gall e ddim siarad, ond mae'r llygaid yn ddigon, llygaid carw wedi ei anafu'n ddifrifol ac yn erfyn am fwled clou.

Hwn yw'r amser. Dere 'achan. Un frawddeg sy' eisie.

'Dad . . . ?'

Alla' i ddim cwpla'r frawddeg. Mae'r geiriau yn fy meddwl fel breichiau dyn yn chwifio wrth foddi. Dwi ddim yn deall, yn y clwb gyda'r bois rwy' mor ewn ond yma, heb neb o gwmpas, mae'r geiriau'n farw-anedig.

Alla' i ddim ei gyrraedd.

Symud ymlaen

Wythnos Eisteddfod yr Urdd yn Llandudno. Roedd y Cochyn a hanner cant o rieni a phlant yn eistedd ar fancyn tu allan i Ysgol y Creuddyn yn haul y bore ar ôl rhagbrawf hir. Gan fod barn y beirniad yn sigledig, doedd dim dal pwy oedd yn cyrraedd y llwyfan.

'O ble chi'n dod?'

Dyn canol oed mewn cot ledr, ddu ac yn colli ei wallt du oedd yn gofyn. Gwên groesawgar.

'Ffynnon Taf.'

'Ble mae hwnna, nawr te?'

'O ble chi'n dod?'

'Ystradgynlais. Chi'n gwybod ble mae e?'

'Wrth gwrs, Cwm Tawe. Beth yw enw'r ysgol?'

'Ynyscedwyn.'

'Roedd pwll glo arfer bod fan 'na.'

Roedd y Cochyn yn dyfalu fod meddwl y dyn ar waith fel olwyn yn troi.

'Wy'n gwbod ble chi'n byw, rhynt Tongwynlais a Nantgarw. Roedd pwll glo yn Nantgarw. Yr un mwya yn Ewrop ar un amser.'

Gwenodd y Cochyn. Roedd yn dda cael cydnabyddiaeth. Roedd yn amlwg mai cyn-löwr oedd y dyn ac roedd hanes yn rhan hanfodol o'i gwrs addysg, hynny yw hunan-addysg.

Roedd yr holl beth yn eironig, meddyliodd y Cochyn. Er bod bwrlwm y plant fel gwenyn yn sïo, a bydoedd bach, newydd drwy gydol yr wythnos yn cael eu creu ar lwyfan, a hyder plant yn blaguro, roedd eu cyfeirbwyntiau nhw, y dyn canol oed ac ef, yn dwneli yng nghrombil y ddaear, wedi eu cau am byth rhag golwg a meddwl plant.

Cododd y Cochyn. Roedd yn amser symud ymlaen.

Ffordd o fyw

Roedd byd o wahaniaeth rhwng y ddau, y llanc yn ddeunaw ac yn gwybod dim am Ryfel y Gwlff heb sôn am y ddau Ryfel Byd; pan oedd yr Hen Filwr yn ddeunaw, roedd ynghanol y Somme.

Y tro cynta y gwelodd yr Hen Filwr y llanc oedd tu fas i garej yn y lôn am bedwar y prynhawn pan oedd fel brenin o flaen deg o'i ddilynwyr. Awr yn ddiweddarach roedd fel cranc ar dywod. Roedd yr Hen Filwr wedi bod yn *Kwiksave*, yn dala bag ym mhob llaw, a stopiodd yn sydyn. Cofiodd am ei ffrind gorau yn y Somme yn ymbalfalu am fasg a neb yn gallu ei helpu.

Brysiodd yr Hen Filwr adre. Rhegodd y llanc am niweidio ei hun, am drial dianc am fod realiti mor llwyd â walydd enfawr y bloc o fflatiau lle roedd yn byw, ond yna gofidiodd am nad oedd wedi ei helpu.

Ta beth, pan gyrhaeddodd adre ffoniodd yr ambiwlans ar unwaith. Roedd y Somme wedi dysgu un wers iddo – ein bod ni yn y byd hwn i fod i edrych ar ôl ein gilydd.

Cyrhaeddodd yr ambiwlans mewn pryd. Newydd ddechrau hwdu oedd y llanc ac ar fin llyncu ei hwd ei hun.

* * *

Roedd y llanc yn yr ysbyty am bythefnos. Pan gyrhaeddodd ei fflat, gorweddodd ar ei wely brwnt ac edrych ar y golau di-lamp ar y nenfwd a'r darnau bach o bapur wal melyn, tywyll oedd yn hongian yn llipa. Roedd wedi meddwl am brynu posteri o'i hoff grŵp ond wedi anghofio.

Ar ôl deng munud cydiodd yn ei got ddenim, las ac aeth mas. Ymhen chwarter awr, roedd ynghanol y dre ac mewn ffenest siop roedd hysbyseb teledu am wyliau yng Ngwlad Groeg. Tra gwyliai gyrff siapus, brown y menywod ifanc, crynai yn ei sgidie. Roedd y gwynt o'r dwyrain. Yr ochr draw roedd band pres yn ymarfer ac ychydig o gyn-filwyr yn ymgynnull. Yn y safle bysys roedd Grant a Scott yn cicio'u sodlau.

'Beth yw'r sŵn 'na?' gofynnodd y llanc.

'Sul y Cofio,' meddai Grant.

'Cofio beth?'

'Y rhyfel,' meddai Scott.

'Wast o amser.'

'Mae'n bwysig iddyn nhw,' meddai Grant.

Poerodd y llanc, gan awgrymu y dylen nhw fynd i Ferthyr i dafarn lle roedd y menywod ifanc yn bertach. Nodiodd y ddau arall. Doedd dim byd arall i'w wneud. Mewn deng munud stopiodd bws unllawr, melyn, a phan agorodd y drws, neidiodd y llanc ar y ris gynta ond ni allai fynd ymhellach. Roedd yr Hen Filwr eisie disgyn. Triodd y llanc hwpo heibio, ond safodd yr hen ddyn yn syth heb ddweud dim.

Ochneidiodd y gyrrwr. Roedd ar ei hôl hi'n barod. Er ei fod yn saith deg oed, roedd gên yr Hen Filwr yn gadarn, a'i lygaid yn dreiddgar. Safodd y llanc yn ôl ar y pafin a chwarddodd y ddau arall wrth i'r Hen Filwr, â'i fedalau'n sgleinio, gerdded yn bwyllog i lawr y grisiau.

Pan regodd y llanc, trodd yr Hen Filwr a saliwtio. Arhosodd y gyrrwr am rai eiliadau cyn cau'r drws.

Trodd y llanc i mewn i'r *Ceffyl Du* cyn y ddau arall, archebodd beint o lagyr, ac eistedd yn dawel am ddeng munud. Yna dywedodd Scott fod sibrydion fod yr Hen Filwr wedi ennill Croes Fictoraidd yn y rhyfel, a'i fod newydd etifeddu ffortiwn oddi wrth ei chwaer. Dywedodd Grant ei fod yn gobeithio y byddai'r Hen Filwr yn garcus achos roedd ei dŷ'n ynysig ac yn aml roedd yn gadael ei ddrws cefn ar agor.

Pan drodd y ddau i edrych ar y llanc, roedd yn yfed ei beint yn araf. Yna edrychodd drwy'r ffenest. Gwelodd y pum milwr yn saliwtio a'u breichiau fel brigau mewn gwynt cryf, ar damed o dir, tir neb. Gwenodd. Dychmygodd y llygaid pŵl yn trial glynu wrth rywbeth oedd wedi hen fynd.

Yfodd y llanc ei beint yn glou, cododd ei law arnyn nhw cyn cerdded mas o'r lolfa.

'So?'

'Ti'n nabod e. 'Sdim dal.'

Yfodd y llanc beint yn y *Castell*, y *Fuwch Goch*, y *Dderwen Frenhinol*, y *Tŷ Pwll Coch*, a'r *Hydd Gwyn*. Meddyliodd taw'r ffordd orau i ddelio â'r hyn oedd wedi digwydd oedd troi ei deimladau'n ddideimlad, rhewi'r ffilm yn y ffrâm gyhyd â phosib.

Aeth yn ôl i'r fflat. Cymerodd rai o'r tabledi yr oedd wedi eu dwgyd oddi wrth ei fam. Roedd ei feddwl yn rasio ac roedd angen brecio'n sydyn. Gwenodd wrth orwedd ar y gwely a chwarae â'r syniad fel crwt yn gwneud yr amhosib, yn swmpo modrwy brid rhwng ei fysedd.

Oedd y peth yn bosib? Os nag oedd, o leia fe gâi dipyn o hwyl ddiniwed.

* * *

Dihunodd amser te. Roedd cwsg wedi lapio'n dynn amdano fel papur plastig. Trodd y radio ymlaen, gwrandawodd ar y newyddion am y Dwyrain Canol,

Iwgoslafia, a'r Teulu Brenhinol. Roedd y byd yn llawn o eiriau, meddyliodd – geiriau oedd yn cwympo fel cesair; ar y teledu, y radio, yn y lle dôl, roedd pobol wastad yn dweud wrtho beth i' feddwl a beth i' 'neud. Pwniodd y wal.

Doedd y lifft dim yn gweithio; cerddodd i lawr saith llawr, a chan ei fod yn gysglyd o hyd, penderfynodd gerdded. Yn y pentre nesa' cerddodd heibio siop yr heddlu. Gwenodd. Doedd y blismones ddim yno, a phob tro y byddai rhywun yn achwyn am y llanc a'i ddilynwyr yn gweiddi yn y parc yn y nos, roedd neges ar beiriant ateb yng ngorsaf heddlu'r pentre nesa'n dweud na allai neb ateb am eu bod yn brysur yn dala troseddwyr.

Yn ffenest y siop roedd llun plisman tal yn gwenu wrth annog pawb i wneud eu rhan i warchod y gymdogaeth.

Trodd y llanc bant. Gwyddai taw tu ôl i'r wên roedd cledro mewn fan heddlu yn oriau mân y bore ar ôl i rywun gerdded o glwb nos ym Mhontypridd ar ei ben ei hun. Roedd y bois wedi sôn fwy am hyn yn ddiweddar; roedd wedi dod yn ffordd o fyw.

Dringodd y tyle, cliriodd yr awyr iach ei feddwl, a theimlai'n well. Erbyn hyn, roedd ar y llwybr ac yn cerdded ar hyd hanner cylch wrth odre'r mynydd. Stopiodd yn sydyn. Wrth ailfeddwl, doedd e ddim yn annisgwyl mewn lle ynysig; ugain llath o'i flaen roedd sgerbwd – olion car oedd wedi cael ei adael a'i danio.

Cerddodd yn araf, gan edrych yn fanwl. Doedd dim byd yn gyfan; cawod o wydr o'r ffenest gefn ar y gist, pob golau wedi eu rhacso, a sbrings a metel lle bu seddau trwchus, glas.

I'r llanc, roedd y car fel corff mewn bedd, yn esgyrn i gyd. Byddai'n well iddo gymryd ei gyfle nawr tra oedd yn gallu gwneud hynny, cyn y byddai'n rhy hwyr. Gallai dyngu ei fod yn clywed llygod ffyrnig o dan y car, ond doedd e ddim yn siŵr . . .

Pan aeth yn ôl i'r fflatiau, cerddodd tu ôl iddyn nhw dim ond er mwyn lladd amser. Dim ond prentis o bensaer neu un meddw a allai fod wedi cynllunio'r fflatiau hyn. Nage cynllunio oedd y gair iawn. Roedd y syniad taw'r ateb oedd gosod pobol mor bell â phosib o'r ddaear yn hurt. Ni allai'r dyn graffiti hyd yn oed sillafu'n iawn; roedd yr 'l' ar goll yn *'Up the Republic'*.

Tu fas i Siop *Spar* roedd dyn cloff yn ei bedwardegau a dwy fenyw o'r un oedran yn salw, eu wynebau'n galed. Ciciodd y llanc fag o sglodion fel ei arwr Neil Jenkins wrth drosi, ond hedfannodd rhai yn ôl yn ei wyneb. Edrychodd o gwmpas. Wrth lwc, doedd neb wedi ei weld. Tynnodd stwmpyn sigarét o'i boced, taniodd fatsien ac anadlodd yn ddwfn, gan obeithio y byddai'r mwg yn ei dwymo.

O flaen y fflatiau cododd bag plastig, gwyn a chwyrlïai'n igam-ogam yn y gwynt – glaniodd ar yr hewl am rai eiliadau cyn cael ei hwthu i'r pellter.

Newidiodd y llanc gyfeiriad. Roedd yr amser wedi dod. Dim ond un peth oedd yn cyfri; dangos i bawb pwy oedd y bos.

* * *

Roedd yn gwybod ei fod wedi cyrraedd y tŷ pan glywodd y band pres ar y radio. Agorodd ddrws cefn y lôn yn dawel cyn cerdded i lawr y llwybr ar flaenau ei draed. Roedd y lleuad lawn yn oer ac yn foel, a phoerodd. Clustfeiniodd. Lan lofft, roedd ffenest y stafell ymolchi'n gilagored a sŵn dŵr bath yn rhedeg.

Trodd y ddolen ac agorodd ddrws y gegin. Wrth iddo droedio i mewn, cyflymodd ei galon ond gwenodd; roedd wedi mynd heibio'r tŵr gwylio ac ar fin cipio'r castell, meddyliodd.

Chwiliodd drwy ddrariau'r hen ddresel Gymreig yn y parlwr, a'r silffoedd i gyd yn y stafell fyw a'r gegin. Roedd yn y cwtsh dan sta'r pan glywodd sŵn. Roedd yr Hen Filwr wedi dod i lawr yn gynt na'r disgwyl.

'Rwy'n flin i'ch trwblu chi . . . '

'Chi'n tresmasu.'

'Peidiwch â gwylltu plîs. Rwy'n moyn gofyn ffafr . . . '

'Beth y'ch chi'n 'neud?'

'Dim. Gwrandwch. Plîs.'

'Mas. Nawr.'

Roedd yr Hen Filwr wedi cydio mewn ffon, ond roedd y llanc yn rhy gyflym; deifiodd am ei draed a'i lorio a chlymu ei ddwylo tu ôl ei gefn â chordyn oedd yn y cwtsh dan sta'r.

Hwpodd e i mewn i'r gegin, i gadair ger y ffenest. Pan ddaeth y llanc yn ôl o'r cyntedd roedd sgarff yn ei law a chlymodd hi'n dynn am ei ben.

'Beth yw'ch dymuniad ola',' sibrydodd yn ei glust.

Ni allai'r Hen Filwr feddwl na siarad; roedd yr ofon fel iâ'n cydio yn ei fwstash pan oedd yn aros am yr Almaenwyr yn y nos yn y Somme. Ychydig o lathenni bant roedd y llanc yn potsian, ond doedd yr Hen Filwr ddim yn siŵr beth yn gymwys yr oedd yn ei 'neud.

Neidiodd yn ei gadair. Roedd y sŵn yn uchel. Tynnodd y llanc y sgarff ac yfodd o'r botel o win oedd newydd gael ei hagor. Gofynnodd ble oedd y Groes Fictoraidd. Pan gododd ei ysgwyddau ciciodd y llanc ef yn ei ochor.

Diflannodd y llanc lan lofft. Gorweddodd yr Hen Filwr ar y llawr, gan rwto'r cordyn yn erbyn y llechi anwastad, ond pan grafodd y croen ar ei arddyrnau, diawliodd ei hun am fod mor hen.

Ymhen pum munud suddodd ei galon; roedd y llanc yn dala rhywbeth a olygai lawer iddo. Bu wrthi ers pum mlynedd, am ddwy awr y dydd – deg tan hanner nos, hyd yn oed pan oedd wedi blino'n rhacs yn ei wneud. Ac roedd i fod yn ganolbwynt Arddangosfa'r Lleng Brydeinig yng Nghaerdydd mewn mis, er cof am ei ffrindiau gorau yn y Somme.

Agorodd y llanc y drws cefn yn ofalus cyn gosod y tanc matsis ar y llwybr.

'Wnewch chi fyth.'

'Wedoch chi rywbeth?'

''Sdim digon o gyts 'da chi.'

Pallodd y tair matsien gynta, ond llwyddodd y bedwaredd a gafodd ei chynnau tu ôl tarian ei got. Mewn ychydig funudau, roedd y cwbwl drosodd – popeth ar ben yn sydyn, y papur yn gols. Doedd yr Hen Filwr ddim eisie dangos unrhyw wendid, ond blasai'r dagrau sur ar ei wefus.

Siglodd ei ben yn araf. Roedd y straeon am y llanc yn wir. Tra oedd ei ffrindiau'n fodlon ar saethu cath ddu Mrs Davies, y fenyw oedd yn galw'r heddlu'n aml, roedd y llanc wedi mynd gam ymhellach. Un bore, llewygodd hi pan oedd yn golchi llestri; roedd y llanc wedi blingo ei chath a'i hongian o'r goeden ywen yn ei gardd.

'Ble mae'r VC?'

Dim ateb.

Yn wawdlyd roedd y gwynt yn hwthu'r mwg i gyfeiriad arall.

'Chi'n gallu sgrifennu?'

'Odw.'

'Pwy law?'

Pwyntiodd yr Hen Filwr at ei law dde. Cyneuodd y llanc fatsien arall a'i dala'n agos at ei law.

'Calliwch, wnewch chi?'

Teimlodd ei hun yn suddo fel petai mewn llacs, ond llwyddodd i aros yn ymwybodol. Yna trodd y llanc y teledu arno, dododd ei draed ar y gadair arall wrth y ford, ac yfodd y gwin yn hamddenol.

Roedd yr holl beth yn hurt, meddyliodd yr Hen Filwr. Roedd e wedi mynd i'r Somme am fod y dewis yn syml; da neu ddrwg, am fod yr hyn yr oedd yn credu ynddo'n gadarn fel y capel Methodistaidd llwyd ar waelod yr hewl lle roedd yn byw. Ond nawr, roedd yr holl beth yn rhacs; fel darnau o bren heb eu clymu i lawr yn dynn yn cwympo oddi ar lori fawr, gyflym a'r ceir agosa'n troi'n sydyn.

Stopiodd yr Hen Filwr feddwl. Roedd y llanc wedi codi ac yn symud o gwmpas y stafell fel ci ar drywydd newydd. Roedd ar ei bengliniau'n chwilio o dan y soffa. Pan gydiodd yr Hen Filwr yn ei wddwg o'r tu ôl, cnôdd y llanc ei law chwith.

Ymladdodd yr Hen Filwr â nerth dieflig. Ond mwya roedd yn ymladd yn ôl, mwya roedd y llanc yn ei bwnio – y dial yn ffrwydro tu fewn iddo fel pren yn tasgu mewn grât; dial yn erbyn yr athro a wawdiodd ei atal, y tad a wrthododd ddangos cariad, y dyn dôl a ballodd wrando.

Roedd yr holl beth y tu hwnt i reolaeth ei gorff. Yn ei feddwl ar hyd coridor, roedd yn torri lluniau wynebau smỳg â chyllell.

Ar yr un pryd roedd fel nicotîn yn llamu i'w ymennydd. Oedd, roedd e ynom o hyd, meddyliodd. Er inni drial golchi ein hunain yn lân yn ein seremonïau – bedydd, priodas, angladd, roedd yr ysfa yno o hyd fel chwilod o dan garreg.

Cafodd yr Hen Filwr ei hwpo'n ôl, llithrodd, a phwniodd ei ben yn erbyn ymyl miniog y lle tân. Plygodd y llanc i lawr. Roedd ei galon yn curo o hyd. Roedd Scott a Lee wedi cyrraedd drwy'r drws cefn.

'Beth ti'n 'neud?,' gofynnodd Scott.

'Dim.'

'Mae e'n dweud rhywbeth,' meddai Lee. Plygodd i lawr.

'Am-biw-lans,' sibrydodd yr Hen Filwr.

'Mae'n rhy hwyr,' meddai'r llanc.

Gwingodd yr Hen Filwr. Teimlai bwysau ar hyd ei gorff fel llacs dwfn yn arafu dryll mawr, llacs lle gallai milwr foddi a neb yn gwybod.

Doedd e erioed wedi meddwl o ddifri am yr eiliad hon; wrth sgwrsio â'i ffrind yn y clwb fis yn ôl, roedd e wedi dweud yn ysgafn yr hoffai farw yn ei gwsg ac yna anghofiodd am yr holl beth.

Gwingodd eto. Doedd e ddim yn moyn marw fel hyn; byddai'n well marw dros rywbeth pur fel yr oedd ei ffrindiau gorau wedi ei wneud yn y Somme. Gwyntodd yr hwd ar wefusau'r llanc, a sylwodd ar ei lygaid gwag fel tudalen newydd. Roedd yn amau taw ym meddwl y llanc roedd hanes yn cychwyn y funud honno. Blwyddyn sero.

Teimlai'r Hen Filwr ei hun yn llithro; fel goleuadau hewl yn diffodd fesul un. Y peth ola oedd y llacs oedd yn trochi popeth fel olew ar draeth.

Ochneidiodd a chaeodd ei lygaid. Edrychodd y llanc ar y ddau arall. Roedd yn rhaid iddo wneud rhywbeth; dododd ei droed dde ar fola'r Hen Filwr, gan godi ei ddwrn de uwch ei ben. Trodd y ddau arall a cherdded yn dawel trwy'r drws i'r oerfel tu fas, ar hyd y llwybr a chau drws y lôn heb edrych yn ôl.

Edrychodd y llanc ar ei ddwylo. Ro'n nhw'n crynu. Codai amheuon yn ei feddwl fel nwy'n llenwi maes y gad.

Drws yn agor

'Gaf i ddiwrnod da heddi,' sibrydodd wrth osod y larwm coch cyn cau'r drws ffrynt. Cofiodd am y gwerthwr oedd wedi hala ofn arno, oedd wedi dweud mewn llais oeraidd fod mwy o ladradau ar y stad newydd. ''Sneb yn saff,' meddai wrth Stanley.

Wrth agor ei Rover gwyrdd newydd sbon, daeth brith gof am y tri llanc y noson cynt, yn cicio'u sodlau yn y safle bysys – neu'r hyn oedd yn weddill ohono. Petai pawb yr un peth, byddai'r byd ar ben, meddyliodd Stanley.

Gyrrodd yn ofalus yn yr un lôn ar hyd y ffordd ddeuol ar gyflymder o chwe deg milltir yr awr. Dim mwy a dim llai. Nid oedd eisiau temtio ffawd. Cofiodd ychydig yn fwy am yr hunlle' – y tri'n rhacso ei ddillad gorau a'r celfi yr oedd newydd eu prynu. Tra oedd e'n cwato dan y garthen yn gobeithio na fydden nhw byth yn dod o hyd iddo, roedden nhw'n dringo'r sta'r ac ar fin cyrraedd ei stafell wely pan ddaeth yr hunlle' i ben. Roedd un ohonyn nhw, yr un tal, yn rhwygo clustogau trwchus ei soffa goch.

Tynnodd Stanley ei gerdyn adnabod drwy'r slot metel, llwyd a chododd y bar melyn. Wrth yrru i mewn i'w gwtsh parcio, meddyliodd am yr holl weithredoedd bach yn ystod ei ddydd, yr atalnodau a roddai rythm i'w fywyd.

Yn y bôn, roedd yn lwcus. Hynny yw, mewn cyd-destun. Roedd rhyfel yn y Gwlff a newyn yn Ethiopia. Miloedd yn cael eu lladd. Miloedd yn colli eiddo – eu dyfodol yn wag. Ond roedd ei fywyd bach e'n ddiffwdan.

Agorodd glo olwyn llywio'r car a'i gloi. Sylwodd ar yr

wifren bigog ar ben y ffens uchel. Roedd yn bwysig cadw'r anwariaid draw neu byddai'r drefn yn chwalu, y drefn yr oedd mor deyrngar iddi. Ei lygaid oedd ei arf pennaf – llygaid am fanylder. Am ddeng mlynedd ar hugain, roedd wedi bod yn edrych i lawr ac ar hyd resi diddiwedd o rifau. Fel siarc yn gwynto cig dynol.

A phan ddeuai o hyd i gamgymeriad, roedd y wefr yn gwneud iawn am yr oriau, y diwrnodau hir, undonog. Siôn 'run shwt oedd Stanley, yn dilyn ei rych nes tynnu ei bensiwn.

Doedd dim llawer o amser ar ôl. Roedd wedi tsiecio yn ei lyfr bach brown wrth fyta ei gig moch ac ŵy (un ŵy nid dwy) y bore hwnnw. Pedair blynedd, deg mis a thri diwrnod, a bod yn fanwl.

Roedd yn glòs yn y swyddfa fach, a doedd y gwyntyll swnllyd ddim yn gwneud llawer o wahaniaeth. Roedd pawb yn gweithio ysgwydd wrth ysgwydd. Am un o'r gloch, cerddodd Stanley i lawr i'r ffreutur a byta ei frechdan domato'n glou. Sylwodd ar wynebau pawb. Doedd neb yn ymlacio. Roedd hwyl ddiniwed yn perthyn i'r gorffennol.

Penderfynodd fynd am dro, dim ond am ddeng munud. Croesodd yr hewl brysur ac anelu am lwybr cyhoeddus a âi heibio meysydd chwarae ysgol gyfun. Rhewodd ar ôl troi cornel, oherwydd yn dod tuag ato roedd pum llanc a'r un tala, yr arweinydd, yn gymwys fel yr un yn ei hunlle.

Cerddodd Stanley ymlaen yn jocôs. Stopiodd yr un tal ac edrych arno, ei lygaid bron yn sownd wrth lygaid Stanley. Gwasgodd Stanley ei ddwrn yn araf. Fel arfer, roedd yn ddyn heddychlon ond os oedd angen . . .

Ciciodd yr un tal dun o Coke a cherddon nhw ymlaen,

gan chwerthin, chwerthin gwneud. Chwerthin gwallgof. Am eiliad, cydymdeimlodd Stanley â nhw, y llanciau â'r jîns carpiog a'r dannedd pwdwr, a bysedd eu traed yn hwpo drwy eu daps. Beth wnelai e yn yr un sefyllfa? Am ychydig o eiliadau, meddyliodd am bentwr o docynnau â rhifau arnyn nhw mewn bin yn stafell aros y Ganolfan Gyflogi, y gobeithion wedi eu rhwygo a'u taflu.

Roedd Stanley wrth ei ddesg pan ganodd y ffôn am dri o'r gloch. Llais melfedaidd Janice Pugh, yr ysgrifenyddes, yn gofyn iddo ddod i swyddfa'r Prif Weithredwr. Pan ofynnodd James Stephens, ei bennaeth, a oedd wedi cwpla tsiecio cyfrifon y cwmni cyfleusterau dododd Stanley ei got arno.

'Wel?'

'Bydd raid ichi aros. Mae TC eisiau fy ngweld i.'

A gwenodd ar bawb wrth adael y swyddfa fach. Wrth ddringo o lawr i lawr, roedd yr holl beth yn dechrau gwneud synnwyr. Tynhaodd ei dei a chribodd ei wallt. Doedd TC ddim yn mynd i hysbysebu am uwchgyfrifydd. Roedd wedi dewis ei ymgeisydd ei hun . . .

Pan gyrhaeddodd y degfed llawr gwyntodd y carpedi trwchus. Eisteddai'r Prif Weithredwr fel brenin tu ôl ei ddesg dderw, hir, a thu ôl iddo roedd ffenest lydan, anferth a edrychai i lawr ar Fae Caerdydd ac ynysoedd Echni, Ronech, ac arfordir Lloegr yn y pellter. Roedd ei ddwylo wedi eu plethu'n ddiffwdan.

'Chi'n brysur?,' gofynnodd.

'Mae cyfrifon James Davies wastad yn her. Nhw yw'r rhai mwya cymhleth.'

'Hm. Rwy'n flin. Dyw hwn ddim yn anodd . . . .'

Arhosodd Stanley am rywbeth i lenwi'r llonyddwch. Roedd fel pe bai'n cael ei hyrddio drwy wacter mawr.

Clywodd sŵn annelwig yn bell – peiriant ar safle adeiladu, wal yn cael ei chwalu. Fel dyn yn demshgil ar gragen malwoden. Chwiliodd am rywbeth i'w ddweud, ond roedd y ffynnon tu fewn iddo'n sych fel corcyn. Plygodd ei ben yn araf fel llen yn disgyn ar ddiwedd drama.

'Chi'n gwbod y ffordd mas . . . '

Cyn troi, edrychodd Stanley i fyw ei lygaid, llygaid barnwr oedd newydd ddyfarnu heb droi blewyn.

Yn y swyddfa cododd ei gês llwyd yn araf a chydiodd yn ei got hir, ddu heb glywed ei ysgrifenyddes yn gofyn a oedd yn iawn. Llithrodd heibio'r bordydd fel drychiolaeth, gan osgoi pawb a edrychai arno'n chwilfrydig. Roedd distawrwydd dros y swyddfa fel niwl trwchus.

Yn y dderbynfa cododd y swyddog diogelwch ei law arno ond ni sylwodd Stanley. Yn llewys ei grys cerddodd drwy'r fynedfa â'r nenfwd uchel allan i'r glaw trwm. Gobeithiai y gallai'r diferion olchi'r staen oedd yn crynhoi tu fewn iddo. Gwibiodd fan bost heibio a brecio ar y funud ola.

'Y jiawl dall,' gwaeddodd y gyrrwr. 'Agor dy lygaid.'

Gyrrodd Stanley drwy olau coch rhwng Penarth a'r Barri ond, wrth lwc, ni ddaeth car o'r cyfeiriad arall. Beth oedd wedi digwydd? Cysurodd ei hun. Roedd TC eisiau wynebau ifanc, a doedd dyn hanner cant oed ddim yn addas.

Parciodd ei gar ar y promenâd yn y Barri. Roedd y tonnau'n codi uwchben y wal fel fflamau afreolus. Cofiodd. Pan oedd yn y Coleg yn Aber, roedd ei ffrind gorau yn cerdded ar hyd y prom un noson yn Nhachwedd pan gipiodd y tonnau e. Daethon nhw o hyd i'w gorff bum milltir mas yn y môr.

Pam? Fe oedd seren y flwyddyn. Ond roedd sibrydion yn y tafarnau fod ei lygaid pan ddaethon nhw o hyd i'w gorff yn derbyn yr holl beth. Ond 'na ddigon. Roedd un drws yn cau ac un arall yn agor. Dyna beth yr oedd pawb yn ei ddweud. Roedd yn anodd iawn credu hyn, ond cyfle oedd hwn, meddyliodd.

Yr her fwya fyddai dweud wrth ei wraig. Roedd Mary'n gorwedd ar y soffa'n gwylio'r teledu a diffoddodd y set am fod plot y ffilm, meddai, mor ddiflas ond eto'n fwy diddorol na'u bywyd nhw. Yna edrychodd hi ar ei wyneb. Trodd i'w hosgoi. Pan glywodd hi'r newyddion cydiodd ynddo.

'Beth wnei di?'

'Meddwl, 'sbo.'

'Mae eisie mwy na meddwl i fwydo fi a'r un bach.'

Aeth Stanley i'r ffenest. Teimlodd yn grac. Roedd y llithren fawr o eira yr oedd e wedi hala oriau yn ei hadeiladu wedi diflannu, a Joshua a'i bedwar ffrind yn neidio lan a lawr ar y twipe oedd yn dadleth yn yr haul.

'Daw rhywbeth, cei di weld,' meddai Mary.

* * *

'Ga' i eich helpu chi?,' meddai'r fenyw ifanc yn y dderbynfa wrth y dyn canol oed, meddw.

'Pryd ti'n cwpla gwaith, cariad?'

Galwodd y Clerc enw Stanley. Roedd llenwi'r ffurflen wedi bod yn artaith, tri deg pedwar tudalen o artaith. Eisteddodd i lawr tra oedd y Clerc yn edrych ar y ffurflen ac arno e bob yn ail.

''Sdim gwydr trwchus fan hyn.'

'Sori?'

'Dim ymosodiadau ar staff. Fel yn Llundain.'

'O na.'

'Mae'r Cymry'n rhy gwrtais.'

'Plymars, peirianwyr. Digon o swyddi gwag. Ond athronwyr. Na.'

Yna gofynnodd iddo faint o gyflog yr oedd yn fodlon ennill bob wythnos. Dywedodd Stanley taw £20,000 oedd y cyflog ar gyfartaledd yn y diwydiant. Gwenodd hi. Os na châi e swydd o fewn ychydig o fisoedd, byddai'n rhaid iddo dderbyn cyflog llawer llai.

'Rhaid ichi fod yn realistig.'

Rhythodd Stanley arni.

Pan gyrhaeddodd adre, roedd y tŷ'n wag. Roedd Mary wedi gadael nodyn. Roedd hi wedi mynd i weld ei ffrindiau. Cerddodd lan y sta'r yn araf. Gosododd yr ysgol ddur, agorodd y clawr sgwâr a dringo i'r atic lle trodd y golau bach arno.

Agorodd ddrâr hen gwpwrdd a daeth o hyd i'w hen dystysgrifau a gwobrau. 'Yn haeddu canmoliaeth uchel . . . Yn sicr o gyrraedd y brig . . . Ei waith o'r safon ucha . . . Yn haeddu dyrchafiad yn fuan . . . ' Y Prif Weithredwr oedd wedi eu hysgrifennu mewn ysgrifen lân a chymen. Yn y golau bach roedd y geiriau'n perthyn i oes arall a theimlai Stanley fel hen ddyn yn darllen ei draethawd ysgol, yn ffaelu gwneud pen na chwt ohono.

Eisteddodd a phwysodd ei gefn yn erbyn wal. Roedd y golau tu fas yn pylu'n glou. Rhwygodd y tystysgrifau a chwympodd y darnau i'r llawr fel dail marw. Clywodd gymydog yn adrodd jôc wrth un arall ar yr hewl tu fas. Sylwodd am y tro cynta ar siâp trionglog yr atic, y ffenest fach o'i flaen, a'r ddau wal trwchus yn ei gau i mewn.

Tri deg mlynedd o waith cydwybodol i un cwmni. I beth? Llithrodd ei gorff i lawr a gorweddodd ynghanol y gweddillion, y papurach, y geiriau diystyr. Lledodd y tywyllwch drwy'r stafell fach fel blanced dros gorff. Roedd ei feddwl yn wag, ac roedd hynny rywsut yn addas.

* * *

Dau ddiwrnod cyn y Nadolig cododd Mary am naw i fynd i'r tŷ bach. Pan ddaeth yn ôl dywedodd fod rhywbeth yn bod. Doedd dim gwres na dŵr twym yn y stafell molchi.

'Wna' i rywbeth wedyn,' meddai Stanley cyn troi'n ôl i gysgu. Roedd y gwely mor dwym a chyffyrddus.

Pan gododd am hanner dydd roedd y tŷ o dan warchae gwynt y gogledd a glaw yn chwipio ffenest y stafell fyw. Roedd Mary a Joshua'n crynu ar y soffa ac yn yfed te i drial cadw'n dwym.

'Pawb yn iawn?'

Edrychodd Mary arno ac edrychodd Joshua ar ei fam.

Cerddodd Stanley o stafell i stafell. Yn y gegin llenwodd sosban â dŵr. Roedd yn anodd cyrraedd y tap gan fod pentwr o lestri brwnt yn y sinc ers diwrnodau. Berwodd y sosban ar y ffwrn. O leia' roedd y ffwrn nwy'n gweithio.

Edrychodd drwy'r ffenest ar yr ardd. Roedd y mieri wedi tyfu'n sydyn uwchben top y wal cefen ac roedd angen eu tocio ar frys. Cyffyrddodd â'r llenni plastig a arferai fod yn wyn fel y galchen. Rhwtodd y llwch rhwng ei fysedd a sylweddolodd pa mor fregus oedd popeth, Mary, Joshua a fe. Fel drych costus yn hongian ar hoelen lac.

* * *

Bore trannoeth cododd Stanley am ddeg. Am ddwy funud eisteddodd ar erchwyn y gwely gan edrych ar ei wraig. Roedd Mary'n bedwar deg oed. Arferai synnu shwt y llwyddai i edrych mor bert ond, yn ystod y misoedd diwetha, roedd hi wedi heneiddio. Roedd y direidi wedi dianc o'i llygaid a'i hwyneb, oedd yn arfer cyfleu pob math o emosiwn, yn wag fel ffenest hen siop.

Cerddodd Stanley i lawr y sta'r yn araf fel hen ddyn. Roedd chwe mis ers iddo golli ei swydd. Roedd amser yn iacháu, meddai'r cymdogion, ond roedd yr holl beth yn dal i wasgu arno. Er gwaetha golchi'r llanw, roedd ymylon y garreg mor finiog ag erioed.

'Rwy'n llwgu, Dad.'

Joshua oedd yno wedi codi'n gynnar ac yn gwylio cartŵn. Chwiliodd Stanley drwy'r cwpwrdd bwyd. Gwenodd. Roedd ychydig o greision ŷd mewn blwch gwyn, plastig. Daeth Joshua i'r ford tra berwodd Stanley'r sosban.

Dododd Joshua ei lwy i lawr.

'Alla' i ddim byta hwn. Mae'n ych-a-fi.'

'Paid â siarad. Byta fe.'

Bwytaodd Joshua'n araf ond poerodd y cwbwl i mewn i'r fowlen. Roedd y creision yn fân ac yn sych, meddai.

''Sdim blas byw, o's e?'

'Ble ti'n mynd?'

'Yn ôl i'r gwely.'

'Pam?'

'O's rhywbeth gwell 'da ti i gynnig?'

Cydiodd Stanley yn ei got law frown a chaeodd ddrws y ffrynt. Roedd dyn byr, boliog yn cerdded ar y pafin, yn dala ffowlyn enfawr yn ei ddwylo ac yn gwenu o glust i glust. Meddyliodd Stanley am lygaid ei fab mor wag â'r cwpwrdd bwyd. Wrth groesi'r hewl yn gyflym, ymwthiai syniad at flaen ei feddwl fel ffiws yn llosgi'n araf.

Yn yr Heol Fawr tu fas i'r archfarchnad canai ugain o bobol ganol oed tra oedd menyw dal, ddi-wên yn siglo blwch casglu o dan drwynau pobol a gerddai heibio. Stopiodd Stanley ac esgus edrych yn ffenest flaen siop sgidie. O gil ei lygad gwelodd y fenyw ddi-wên yn cerdded ato . . .

'Esgusodwch fi . . . '

Poerodd Stanley ar y pafin.

'A Nadolig Llawen ichi,' meddai'r fenyw.

Cerddodd Stanley'n glou. Diawlodd eu canu. Beth oedd pwynt sôn am dangnefedd? Beth oedd tangnefedd? Gallai carol godi calon am ddwy funud ond . . . Digon rhwydd oedd dymuno ewyllys da i bawb yn y byd, ond beth am y teuluoedd oedd yn diodde ac a fyddai'n dal i ddiodde yn y Flwyddyn Newydd?

Stopiodd. Ugain llath ar y dde roedd Eglwys Mihangel Sant ond roedd arwydd newydd, felen tu fas, arwydd droellog yn fflachio, yn hysbysebu carpedi. Roedd yr eglwys newydd gael ei throi'n stordy. Roedd pawb wedi dweud na fyddai hyn byth yn digwydd am ei fod yn amhosib, yn anymarferol.

Edrychodd Stanley yn syth ochr draw a daeth y syniad mewn fflach. Roedd gwreichionen yn cydio tu fewn, yn troi a thyfu fel olwyn Gatrin nes ei fod yn gyflawn ac yn llachar. Gwelai'r holl beth yn digwydd yfory, yn chwarae'n araf ar sgrîn ei ddychymyg.

Crafodd ochr ei ben. Sylweddolai beth yr oedd hyn yn ei olygu. Roedd ei hen fywyd a'i werthoedd wedi diflannu. Fel hen lyfrau trwm wedi cwympo tu ôl i silffoedd mawr, y tu hwnt i'w afael.

Edrychodd i lawr y stryd. Er bod cegau'r côr yn symud, roedd eu lleisiau'n fud am fod gwynt y gogledd yn boddi'r alaw a'r geiriau. Doedd dim troi'n ôl, meddyliodd. Doedd dim da na drwg yn bod, dim ond wyneb gwelw ei wraig a llygaid gwag ei fab.

Edrychodd ar ei watsh. Am un ar ddeg bore yfory byddai'n cyrraedd y fan hon, yn gwisgo'r balaclafa du, yn swmpo'r dryll plastig ym mhoced ei got law, ac yn rhedeg i mewn i'r swyddfa bost yr ochr draw.

Teimlodd ei wallt. Roedd yn wlyb. Roedd wedi bod yn bwrw glaw ers deng munud ond doedd e ddim wedi sylweddoli.

Mwg

Hwn yw'r cyfle i fylchu drwy rengoedd y gelyn. Ond wrth edrych ar fy hun yn nrych bach y cyntedd, mae'r llygaid yn fflachio ofn. Gall croten chwech oed wneud hyn, agor y drws ffrynt, felly beth sy'n fy stopio i? Sylwaf fod lliw croen fy wyneb fel nenfwd tafarn wedi melynu gan fwg sigaréts.

Mae wedi bod yn ddedfryd hir, ugain mlynedd. Fel hyn rwy' wedi bod ers imi weld y meddyg teulu a dilyn ei gyngor doeth. 'Wnewn nhw ddim niwed ichi,' meddai'n dawel. Ers hynny, mae pob crafiad yn anaf, pob igian yn sgrech, a'r amheuaeth lleia yn uffern. Aeth popeth yn rhacs, fel corff yn newid siâp o flaen drych ffair.

Y drafferth yw bod yr oedi yn y cyntedd yn bwydo'r ofnau, yr ofnau all godi fel anghenfil o gors.

Yn ara, mae drws y stafell fyw'n agor. Dan sy' 'na, y gŵr. Cadno yw e, yn gwylio pob symudiad.

'Mae mwy o hwyl arnat ti heddi,' meddai yn ei lais ewyllys da.

Dyw e ddim yn credu y dylwn i fynd yn bell. Er fy lles i, meddai.

'Bydd yn garcus,' meddai cyn sleifio yn ôl i'w ffau a chwarae â'r switsh teledu fel y mae wedi chwarae â 'nheimladau i.

Un anadliad dwfwn ac rwy'n agor y drws. Un cam, dau, tri, agor y glwyd haearn, ddu. Mae 'nghoesau i'n gwnegu heddi, man a man ifi roi'r ffidil yn y to ond sa' funud, 'co'r her gynta yn dod – Mrs Mathias, cleces y plwyf, sgrafell.

'Shw' mai?,' meddai'n fêl i gyd. 'Chi wedi bod bant am sbel?'

Dim ateb.

'Dim lliw haul?'

'Gwlad yr Iâ.'

Ymlaen â fi cyn iddi ofyn rhagor. Gwlad yr Iâ, wir; daeth y gaeaf yn gynnar y flwyddyn ddechreuais i lyncu'r tabledi. 1979, Blwyddyn Refferendwm pan gydiodd yr iâ ym mrigau'r gwythiennau ac arafodd fy meddwl fel lori'n llusgo drwy eira.

Croesaf yr hewl at wal yr orsaf reilffordd. Dwi ddim wedi bod mor bell â hyn. Ar y wal mae rhywun wedi peintio 'Duw Cariad yw' mewn llythrennau mawr gwyn. Cariad; gair gwag am fod neb yn gwbod pa fwystfil sy'n llercian tu ôl llenni lês y tŷ.

Un prynhawn pan oedd y sŵn yn fy mhen fel deial radio heb gydio'n lân, mynnodd Dan y dylen ni fynd lan sta'r. Pan ddwedais nad oedd yn dangos digon o gariad, gofynnodd imi afael yn ei law chwith, ond cydiodd ei law dde yn fy ngwddwg. Pwniodd fi o gwmpas y stafell fyw, o'r gadair siglo i'r soffa i'r ford i'r silff lyfrau. Cafodd fy nghorff ei sgubo gan don dymhestlog, ac ar ddiwedd y ddawns ynfyd, gollyngodd fi fel pyped dilinyn ar y llawr. Anghofia' i fyth ei lygaid oer – llygaid broga ond ei wên yn chwareus. 'Fi yw'r bos,' meddai. 'Paid anghofio hynny.'

Yna trodd y sain yn ôl arno a gwylio'r gêm rygbi. Sgoriodd Pontypridd, ei hoff dîm. Roedd y pwnio'n hoe rhwng dau hanner gêm, a mwya o'n i'n llefen, mwya oedd e'n troi lan sain y teledu. Fe, y cadeirydd, y dyn oedd yn mynnu chwarae teg ym mhob pwyllgor.

Rwy'n ennill tir. Rwy' ar y trên nawr. Pan ddaw'r gard, gofynnaf am docyn dychwelyd i Gaerdydd, gan gynnig dwy bunt iddo.

'Chi o dan bump oed? Ble y'ch chi wedi bod? Pum

punt yw e.'

Mae'r ddwy fenyw ganol oed yn y sedd gyferbyn yn edrych yn rhyfedd arna' i ac yna ar ei gilydd.

Mewn tri deg pum munud ry'n ni'n cyrraedd Gorsaf Ganolog Caerdydd. Eisteddaf ar fainc werdd ar Blatfform Saith a chlywaf larwm car yn tanio islaw. Gwelaf ddyn canol oed yn sefyll wrth ddrws y gyrrwr yn gwasgu a gwasgu ei fotwm. Yna mae'n agor y drws, yn chwarae'n frysiog â swits tu fewn, yn cau'r drws, ac yn ailwasgu'r botwm. Ond y tro hwn, mae'r larwm yn uwch ac yn donnog fel gwenynen a'r dyn yn taflu'r swits at y drws.

Fel 'na ro'n i am ddau un bore. Gwelwn y mwg yn llenwi'r stafell wely, yn glynu wrth fy ngwallt a'r gŵn nos a Dan yn anobeithiol o ara. Gwaeddais arno i ffonio'r frigâd dân ar unwaith gan fod Sioned ar y llawr ucha ac ro'n i'n ofni y byddai raid inni ei thaflu mas o ffenest i flanced islaw.

'Beth sy'n bod?' sibrydodd Dan â'i lygaid ar gau. Ellwch chi gredu'r peth? Roedd y mwg yn llosgi fy llygaid, yn tagu f'ysgyfaint, yn gorchuddio'r dresel, y walydd, a'r carped.

'Mae'r mwg yn dy ben,' meddai.

'Beth ddiawl . . . ?'

'Rwyt ti'n cilio o'r tabledi'n rhy glou . . . '

Dywedodd ei fod newydd osod larwm. Doedd dim larwm i'w glywed, meddai, felly doedd dim mwg.

'Os na ei di am help, byddan nhw'n dy gloi di lan.'

'Ti'n fodlon rhoi cwtsh?'

'Mae'n rhy hwyr,' meddai.

Fi yw'r unig deithiwr yn y cerbyd ar y ffordd yn ôl i Dreorci. Rhwng Radur a Ffynnon Taf mae'r caeau'n rhuthro heibio fel blynyddoedd di-droi'n-ôl. Yn y diwedd, dim ond fi allai benderfynu, ac fe es i am driniaeth wirfoddol. Rwy'n cofio pryd y penderfynais i.

Ro'n i wedi bod am dro am bum munud, a chynigiodd Dan y dylen ni fynd yn ôl i'r pentre' pysgota yn Ne Llydaw, ger Quimper. Roedd y ddau ohonon ni'n haeddu gwyliau, meddai.

Roedd e'n edrych drwy hen luniau gwyliau yn ei fyfyrgell a gofynnodd a oeddwn i'n meddwl 'mod i'n ffit i fynd. Do'n i ddim yn gwybod. Roedd y gwyliau diwetha yn Llydaw ugain mlynedd yn ôl wedi bod yn fendigedig, meddai Dan.

'Pryd oedd hyn? Ble o'n ni?'

Uffern o beth, fel cyrraedd ynys a syweddoli fod y llanw i mewn, a bod dim llwybr yn ôl i'r tir mawr.

'Pwy yw hon? Y fenyw ifanc llond ei chroen sy'n gwenu.'

'Ti,' meddai Dan, gan edrych yn ôl yn syth ar yr albwm.

Yn ystod yr wythnos ganlynol ces i bwl mawr. Clodd Dan fi yn y tŷ bach am oriau, a thra o'n i'n llawn panig heb y tabledi, roedd yn codi hwyl ei bwyllgorwyr, a fi'n eitem wedi ei gollwng o'i agenda.

Y tro cynta yr es i i'r stafell fach yn yr ysbyty meddwl, ro'n i'n meddwl fod y nyrsys a'r meddyg wedi trefnu syrpreis pen-blwydd. Yn y gadair olwyn yn y coridor, gofynnais i'r meddyg beth oedd yn digwydd, yn gyffro i gyd.

'Byddwch yn teimlo'n well.'

Siwrne y cyrhaeddon ni'r stafell, cyflymodd popeth fel ffilm antur, y strapio sydyn, gosod teclyn yn fy ngheg a'r trydan yn grasboeth yn saethu ar hyd cafan fy nghorff. Bob hyn a hyn codai fy nghorff fel ceffyl llamsachus. Arglwydd, meddyliais i, os taw byw yw hwn, gobeithio wna' i farw'r eiliad hon. Cosb yw hyn am fod yn oen swci i'r llaeth gythrel, y tabledi bach.

Gallen i ddim rhegi am fod y teclyn yn sownd yn fy ngheg. Doedd dim i'w wneud ond goroesi'r ffigar-êt ffiaidd, dala'n dynn yn y canllawiau a gobeithio y gallwn i gwpla'r daith yn saff.

Roedd fel cael fy nhreisio'n gyhoeddus. A neb yn hidio am fy nheimladau i. Teimlais gywilydd mawr fel merch fach yn trochi ei gŵn nos ac yn gofidio beth fyddai Mam yn ei ddweud.

Ar ôl brecwast fore trannoeth daeth Dan i'r ysbyty â blodau.

'Ti'n teimlo'n well?'

'Dwi ddim yn siŵr.'

Cododd ei lais arna' i ond pan syweddolodd fod y cleifion eraill yn edrych, cydiodd yn fy llaw dde.

'Rwy'n dy garu di.'

'Wyt ti?'

Pan edrychais i ar ei wyneb roedd fel map dierth.

Gadewais yr ysbyty ymhen dau fis. Troi dalen newydd, meddai'r meddyg wrth ffarwelio, agor pennod newydd. Addawon nhw therapi, wel, dyna'r enw swyddogol, ond bues i'n eistedd mewn ambiwlans ddwywaith yr wythnos yn cael fy nghario yn ôl ac ymlaen o'r ysbyty fel hen gelficyn. Ar ôl cyrraedd adre ro'n i'n teimlo'n waeth.

Yna darllenais i bwt ar ddarn o bapur newydd yr oedd Dan wedi ei adael ar ford, papur oedd yn lapio olion ei bysgodyn a sglodion.

A dyma fi'n mentro un bore, yn dodi fy nhroed ar garreg y drws fel camu i mewn i fàth twym. Croesi'r hewl ac yn ôl am wythnos, a hwpo'r ffiniau yn fy meddwl tan imi gyrraedd y safle bysys mewn mis, siop y gornel mewn tri mis a'r stesion mewn chwe mis. Llacio'r bolltau yn fy meddwl am nad oedd ffordd arall yn bosib, am fod yr hewl o'r drws ffrynt i'r ochor draw mor ofnadwy o lydan a'r meddwl mor gul.

Rwy' wedi cyrraedd Gorsaf Pontypridd. Cerddaf i lawr y grisiau llydan concrit a winciaf ar yrrwr tacsi sy'n cochi a chwato'i ben tu ôl ei bapur.

Agoraf y drws ffrynt yn glou, ac ymlaen â fi i'r stafell fyw lle mae'r olygfa'n gyfarwydd – Dan yn gorwedd ar ei soffa, y swits yn ei law dde o hyd, a'r teledu'n rhuo. Mae ei dîm yn dathlu, meddai, wedi ennill y Cwpan.

'Doda'r tecil arno,' meddai, yn ôl y drefn arferol ond diffoddaf y teledu'n dyner fel gwleidydd yn cusanu babi.

'Linda?'

'Ti heb alw fi Linda ers ugain mlynedd.'

'Pam o't ti mor . . . hir?'

Am fy mod i wedi colli fy ffordd mewn niwl, meddyliaf.

Mae'r gaea drosodd ac rwy' wedi dod i mewn i dwymo. Fel cleddyf mae fy ngên i'n codi.

Gwylia di, yr hen gadno. Elli di ddim teimlo'r naws yn newid? Eisioes mae dy lygaid wedi altro gan fod ôl ofn arnyn nhw. Pam? Mae'r cŵn hela ar fin cyrraedd.

Cynnydd

Ro'n i ar Blatfform Chwech yng Ngorsaf Ganolog Caerdydd pan glywais i'r llais newydd, llais y gyhoeddwraig ganol oed, er ei bod hi fel hen drên yn baglu dros bwyntiau atal ei sillafau; Llanbradach, Ystrad Mynach, Hengoed, Pengam, Gilfach Fargoed.

Dychmygais hi'n sipian ei the ac yn cnoi ei brechdanau tomato adeg hoe ac yna'n breuddwydio bob nos, wrth sefyll yn y safle bysys, am fod yn ddarlledwraig newyddion o flaen camera a miloedd ar filoedd o ddilynwyr. Yn rhugl.

Roedd hi'n unig yn y cwtsh, meddyliais. Ei hunig ffrind efallai oedd y meic; doedd ganddi neb i rannu breuddwydion, y fenyw ddienw, wedi ei chloi mewn cwtsh. Ond hebddi, byddai'r orsaf fawr brysur yn dod i stop – yn fud.

Ac yna daeth y newyddion fel cerbyd yn hwpo'n sydyn, wrth siarad â dyn undeb mewn tafarn. Chwarddodd cyn gostwng ei lygaid. Nage llais newydd oedd yn yr orsaf, meddai, ond tâp yn troi. Roedd y cwtsh yn wag. Ro'n nhw wedi torri ei thafod mas yn enw cynnydd.

Chafodd hi ddim llawer o rybudd; doedd hi ddim yn moyn mynd i adran arall gan iddi fod yn gyhoeddwraig ers ugain mlynedd. Pan dorrodd y rheolwr y newyddion, ni allai edrych yn ei llygaid.

Cytunodd hi i roi cyfweliad imi. Pan gerddais i mewn i'w stafell fyw, roedd trên Doc Penfro'n rhuthro heibio'r ffenest, a hithau'n fud mewn cornel. Wedi ei chloi mewn galar.

'Fel hyn mae hi,' meddai ei chwaer.

'Well i fi fynd,' wedais i.

Yn ddiweddar, mae'r orsaf wedi cael ei phaentio â lliw brown tywyll, diflas ac mae'r hysbysfyrddau'n llawn o bosteri â sloganau cyffredinol. Yn gymws fel yr adeg pan gymerodd y diesels di-siâp le'r trenau stêm. O'r blaen roedd y gyrrwr yn sychu'r olew oddi ar ei ddwylo ac yn dangos beth oedd diben y teclyn hwn a'r llall. Nawr mae'n eistedd yn ei gwtsh ac yn edrych syth ymlaen.

Cynnydd, meddai'r datganiad i'r wasg. Ond pan mae rhywbeth yn codi'n sydyn, damwain ar y cledrau neu drên yn hwyr, mae'r tâp yn llonydd ac yn fud fel y fenyw ganol oed mewn cornel.

Yn sownd mewn bocsys pren

Daeth y gwynt oer i mewn i'r stafell fel ymwelwr heb ei wahodd, fel chwythu pentwr o ddail oedd wedi eu sgubo'n dwt. Roedd ei wejen wedi gadael drws ffrynt y bwthyn gwyliau ar agor.

'Dere nôl,' gwaeddodd.

Ond roedd ei lais yn ddim yn erbyn y gwynt a lenwodd y llenni glas tywyll. Dere nôl. Roedd wedi sgrifennu'r geiriau â minlliw ar ffenest unwaith o'r blaen, pan oedd y byd tu fas yn ddychrynllyd o fawr a'r ffenest yn oer, ddideimlad. Y minlliw ar y ford oedd yr unig beth yr oedd ei fam wedi ei adael ar ôl. Cas tenau aur ar ford dderw lydan.

Cerddodd Grant i'r ardd fach yn y ffrynt. Roedd y llanw mas yn bell, ac roedd crychydd ar y traeth ugain troedfedd bant yn chwilio'n ddyfal am fwyd, yn estyn ei wddwg yn ofer.

Nid oedd y penwythnos wedi bod yn llwyddiant, meddyliodd. Ei wejen oedd wedi trefnu'r holl beth – nid yn unig pris a lleoliad y bwthyn, ond roedd hi wedi cael gwybodaeth am y dafarn agosa, y traeth agosa a'r tŷ byta lleol gorau.

Roedd ei hymgais i reoli popeth yn ei aflonyddu, fel llanw'n dod i mewn yn sydyn heb roi cyfle i neb symud tywelion, dillad, bwyd na chadeiriau.

Byddai'n well 'da fe gyrraedd y lle a dim ond gobeithio am y gorau.

Nos Wener yn y stafell fyw ym Mhontypridd, roedd hi wedi sefyll o'i flaen â'i dwylo ar ei wast tra oedd yn darllen y papur.

'Gei di bacio,' meddai.

'Fi?'

'Neu fi sy'n gwneud y cwbwl.'

Bore Sadwrn, codon nhw'n gynnar a chael brecwast yn y *Little Chef* yn Sarn, ger Pen-y-bont. Roedd y lle'n llawn o bobol Canolbarth Lloegr ar eu ffordd i lawr i draethau Penrhyn Gŵyr.

Fe oedd yn mynnu gyrru tra oedd hi'n llywio. Roedd to'r sbortscar i lawr ac roedd ef wrth ei fodd. Dywedodd hi ei fod fel plentyn wedi ei fradu. Trodd e'r stori. Fel camu'n araf i mewn i fôr oer, gofynnodd pam nad oedd yn sôn o gwbwl am ei fam. Gwasgodd ei droed ar y sbardun. Gofynnodd iddo arafu. Rhybuddiodd am y car heddlu oedd yn arfer llercian mewn cilfach lle roedd heol y Pîl ymuno â'r drafffordd.

Daliodd i yrru'n glou am ddwy filltir. Roedd wedi clywed taw dim ond y lôn allanol yr oedd yr heddlu'n cadw golwg arni, nid y lôn ganol. Wrth ailfeddwl, doedd e ddim yn gwbwl siŵr. Doedd dim byd yn sicr.

Yna arafodd.

'Ti'n fodlon nawr?'

Arhosodd hi'n dawel. Doedd hi ddim yn deall. Pan geisiai glosio ato, ciliai bob tro, ac roedd hi'n meddwl ei bod hi'n gwneud rhywbeth o'i le. Fel arfer, os oedd hi'n trin rhywun yn dda, roedd yr ymateb yn ôl yn dda. Ond roedd e'n wahanol. Iddo ef, roedd closio fel tresmasu ar dir preifat. Oedd ganddyn nhw ddyfodol? Y penwythnos hwn oedd ei gyfle ola, penderfynodd. Y peth gorau oedd dweud dim.

Yr ochor draw i Abertawe, aeth Grant yn syth ymlaen o gylchfan yn lle troi i'r dde am Benrhyn Gŵyr. Doedd hi ddim wedi rhoi rhybudd iddo. Pan dynnodd i mewn i gilfach, bu bron i lori daro cefen y car. Canodd ei gorn a chododd ei ddwrn. Gwaeddodd arni. Dylai hi fod wedi darllen y map.

'Rwy'n dibynnu arnat ti.'

'Rwy'n flin.'

Gwasgodd ei law'n dyner. Gwenodd heb edrych arni.

Cyrhaeddon nhw am naw. Gadael y bagiau yn y gegin fach. Roedd hi'n braf. Roedd llwybr cerdded o flaen yr ardd ffrynt ac awgrymodd hi y dylen nhw fynd am dro. Sylweddolodd taw hi oedd yn awgrymu popeth yn y berthynas hon. Roedd e fel tirfeddiannwr absennol.

Cytunodd Grant heb fod yn frwdfrydig. Roedd ei feddwl yn bell. Gofynnodd hi a oedd yn hoffi'r lle. Oedd, meddai, er mwyn ei bodloni hi. Y gwir oedd bod y bwthyn yn debyg iawn i'r tŷ lle cafodd ei fagu, tŷ bach, bregus, ynysig ger ehangder y môr. Lle gallai storm daro'n ddirybudd.

Doedd bron neb ar y llwybr gan fod y pentre bach, cysglyd yn dal i ddihuno. Un neu ddau seiclydd yn codi llaw. Roedd hi mewn hwyliau da, yn cydio yn ei law ac yn pwyso ar ei ysgwydd. Nid oedd ei ymateb ef yn reddfol nac yn gyflym. Fel fiolinydd newydd yn ymdrechu i ddala lan â gweddill cerddorfa.

Stopiodd e'n sydyn.

'Beth sy'n bod?'

Clywodd e'r sŵn yn gynta ac yna edrychodd i lawr. Roedd nant yn arllwys drwy bibell frown yn lân ac yn wyn i gyfeiriad y traeth. Gobeithiodd y byddai'r sŵn yn golchi bant y gronynnau o amheuaeth oedd yn ei feddwl.

Y noson honno aethon nhw i'r gwely'n gynnar am hanner awr wedi naw. Diffoddodd hi'r golau bach yn syth heb ddarllen o gwbwl. Effaith awyr y môr, siŵr o fod. Edrychai Grant ymlaen at gysgu'n braf ar ôl diwrnod hir. Am ddau y bore, cododd a gwneud dyshgled o de ond ni allai gysgu. Er iddo hoelio ei sylw ar sŵn y nant, cafodd ei feddwl ei lenwi gan fôr oedd yn drwm gan gemegau a lyncai ddŵr iach y nant. Fel mantell ddu gwrach yn mogi plentyn.

Trodd hi yn y gwely a chydio am ei ganol. Roedd hi'n disgwyl gormod, meddyliodd. Ond doedd e ddim yn barod. Ni fyddai fyth yn barod. Doedd dim ffydd 'da fe yn neb. Roedd rhywbeth wedi ei rwygo, ac roedd y clytiau'n dod yn rhydd.

Roedden nhw wedi bod yn caru ers pum mlynedd a'r hoe oedd y dathlu. Roedd hi mor drefnus. Roedd wedi prynu ei anrheg e'n barod, siŵr o fod. Yfory fe âi i Abertawe i brynu ei hanrheg hi.

Cododd hi'n fore a dod â brecwast iddo yn y gwely, ei ffefryn, cig moch ac ŵy a bara saim. Bytodd yn awchus.

'Ti yn fy ngharu i?'

'Wrth gwrs.'

'Wel, dangos e.'

'Mae'n anodd . . . '

'I ddyn, rwy'n gwbod.'

Hanner direidi a hanner bychanu oedd y sylw. Dalodd hi fys bawd a bys cynta ei llaw dde lan. Dim ond rhyw hanner modfedd o gariad oedd angen, meddai. Gwenodd e. Addawodd wneud ei orau.

Pan aeth hi'n ôl i'r gegin cafodd Grant gyfle i feddwl. Gwraidd yr holl beth oedd ei gyfnod yn y tŷ bregus. Er iddo dreulio wyth mlynedd yno, ni fu ei blentyndod yn llawn, yn enwedig yn y flwyddyn ola'. Roedd y cyfnod hwn fel arddangosfa oedd newydd agor ond bod y lluniau wedi'u tynnu i lawr yn sydyn ar ôl hanner diwrnod. A'r lliwiau llachar, yr oren, coch, a melyn yn ddu, yn sownd am byth mewn bocsys pren.

Am ddau yn y car ar y ffordd i Abertawe, roedd y pendiliau glaw'n cyfeilio ei mân siarad hi. Yna newidiodd goslef ei llais fel newid gêr. Soniodd am ei ffrind gorau,

Mari, newyddiadurwraig oedd wedi teithio'r byd cyn setlo i lawr.

'Mae hi'n meddwl fod pum mlynedd yn amser hir.'

'O, ie.'

'Yn profi rhywbeth.'

Dododd ei llaw ar ei goes.

''Smo ti'n meddwl?'

'Dwi ddim yn siŵr.'

Dywedodd hi fod y pendiliau arno o hyd er bod y glaw wedi stopio.

'Rwy'n flin.'

Llais pell, dydw-i-ddim-yn-meddwl-hyn.

Cytunon nhw ei bod hi'n mynd i'r farchnad a byddai'r ddau'n cwrdd yn ôl yn y bwthyn amser te – digon o amser iddo fe brynu'r anrheg, gobeithio. Doedd Grant ddim yn siopwr mawr. Doedd dim anrheg 'da fe mewn golwg, dim ond syniad, delfryd. Fel y fenyw dal, osgeiddig oedd yn y gegin flynyddoedd yn ôl yn golchi'r llestri, yn edrych yn synfyfyriol arno. Ife hon oedd ei fam neu ife cymeriad oedd hi yn ei ddychymyg? Cymeriad mewn fersiwn gynta ond a gafodd ei dorri mas yn ddiweddarach.

Teimlai'n anesmwyth. Ac roedd rhywbeth arall ar ei feddwl. Yn y car roedd ei wejen am y tro cynta erioed wedi ei alw wrth lythyren gynta ei enw. Dim ond ei fam oedd wedi gwneud hyn o'r blaen, a dim ond ei fam oedd â'r hawl i wneud hynny. Roedd y llanw'n dod i mewn, a phobol yn rhy hwyr yn symud eu pethe'n ôl. Y dillad yn stecs a'r gwymon trwm yn glynu wrth bopeth. Doedd e ddim wedi teimlo fel hyn ers blynyddoedd. Er iddo osod y powdwr gwyn yn rheolaidd, roedd y morgrug wedi dod yn ôl.

Teimlodd yn well yn y bar. Doedd neb yn ei adnabod.

Synhwyrodd y cwsmeriaid ffyddlon nad oedd Grant eisie siarad â neb, a gadael llonydd iddo. Yfodd ei beint o Murphys yn hamddenol. O ie. Yr anrheg. Roedd yn rhaid cofio'r anrheg. Aeth â'i wydr yn ôl a'i osod ar ben y bar. Cododd ei law ar y barman.

'Wela' i chi mewn pum mlynedd,' meddai'r dyn byr, boliog tu ôl y bar.

Roedd y tywydd yn codi a'r awyr yn fwynach. Anadlodd ana'l ddwfwn. Cerddodd yn hamddenol i lawr Ffordd y Frenhines. Gwelodd siop gelf ar y llaw dde a chroesodd yr hewl yn obeithiol. Roedd hi'n hoff o luniau, tirluniau – yn enwedig lluniau o bentrefi pysgota. Roedd yn rhyfedd, meddyliodd, ei fod yntau'n gwybod cymaint amdani hi a hithau'n gwybod cyn lleied amdano fe. Na, doedd e ddim yn rhyfedd o gwbwl . . .

Roedd criw o fyfyrwyr, pum menyw ifanc, tu fas i'r siop, yn chwerthin yn dawel ac roedd Grant yn amau eu bod yn chwerthin ar ei ben. Yna penderfynodd ymuno yn yr hwyl. Chwarddodd y myfyrwyr yn fwy.

Sylweddolodd Grant pam eu bod yn chwerthin. Roedd perchennog y siop wedi gosod arwydd melyn uwchben llun olew gydag *'For Sail'* wedi'i sgrifennu mewn inc coch arno, yn gamsillafiad o *'For Sale'*. Yna dychrynodd Grant. Roedd y llun yn gymwys fel ei fam, y talcen uchel, y llygaid glas, trist, y gwefusau llawn. Gallai hyd yn oed wynto ei pherarogl Ffrengig.

Cerddodd y myfyrwyr, yn dal i chwerthin, ac edrych yn ôl arno'n rhyfedd. Teimlai Grant fel crwt wyth oed yn cwato o dan ei wely, yn pallu credu beth oedd wedi digwydd.

'Dere nôl,' sibrydodd.

Edrychodd ar ei adlewyrchiad yn y ffenest. Mor fach oedd e yng nghysgod y siop fawr, trillawr, llwyd.

Ar y cychwyn, roedd Wncwl Dan o Resolfen wedi dod i fyw i'r tŷ. Roedd ei fam wedi mynd ar ei gwyliau, meddai wrth Grant. Ond roedd rhywbeth yn bod oherwydd doedd Wncwl Dan ddim yn gwybod i ble yr oedd hi wedi mynd, a doedd dim sôn am gerdyn post.

Yna un bore wrth y ford brecwast, dri mis yn ddiweddarach, roedd Wncwl Dan yn diodde pen tost ar ôl trip y clwb i Ddinbych-y-Pysgod a Grant yn conan.

'Pryd mae Mam yn dod nôl?'

'Byth.'

'Beth?'

'Mae wedi mynd i Awstralia gyda dyn dierth.'

'Ond . . .'

''Na fe. Ti'n gwbod nawr. Gad dy gonan.'

Rhedodd Grant i'w stafell wely a phwnio popeth o fewn gafael – y drws, y cwpwrdd, ei ddesg. Cydiodd mewn siswrn a thorri clustiau ei dedi a thynnodd ei lygaid brown yn rhydd.

Roedd fel banc y pentre yn cau, rhywbeth dibynadwy wedi mynd ac yntau'n amau y byddai pawb yn trial elwa arno.

* * *

Pan gyrhaeddodd y bwthyn am chwech o'r gloch sylwodd fod ei wejen wedi bod yn brysur. Treiddiai gwynt melys ffowlyn yn cael ei goginio i bob man. Gofynnodd hi a oedd wedi prynu gwin. Na, meddai, roedd wedi anghofio. Gwgodd hi wrth y ffwrn yn ffug-ddifrifol a dywedodd ei bod yn fodlon maddau. Gofynnodd iddo dynnu ei got. Ar y ford roedd hi wedi agor potel o win coch Coonawara o Awstralia, ei ffefryn.

Gwenodd Grant yn anghyfforddus. Roedd hi'n

gwneud popeth i'w fodloni, meddyliodd. Gormod. Yn ei ben, roedd delwedd o grwt o dan wely'n crynu, a'i ddwylo'n sownd wrth ei glustiau.

'Ody hi'n dwym?'

'Na,' meddai hi.

Eisteddodd Grant a darllen y papur.

'Cest ti hwyl yn siopa?'

'Do,' meddai Grant.

Roedd y cryno ddisg arno, ei ffefryn, Mozart, Y *Concerto Clarinet*. Cododd hi ei llais ychydig yn y gegin. Roedd syrpreis iddo tu ôl y cloc ar y silff ben tân, meddai. Cydiodd Grant yn yr amlen fawr, frown a'i swmpo. Beth oedd hwn? Roedd yn denau.

'Wyt ti'n hoffi e? . . . Gwed rywbeth . . . '

Roedd hi'n nabod artist graffeg yn y swyddfa ble roedd hi'n gweithio ac roedd wedi troi hen lun o'i fam yn nyrs ugain oed yn rhywbeth newydd sbon. Daeth hi i mewn i'r stafell fyw'n hyderus.

'Mae'r llun yn gyfan o'r diwedd,' meddai.

Cusanodd Grant yn dyner ar ei foch. Doedd e ddim yn gwybod beth i'w feddwl. Roedd yn ail-fyw'r noson ar ôl clywed y gwir am ei fam – pan ddringodd i mewn i'r gwely oer, a phan gafodd y golau ei ddiffodd heb stori na chân. Roedd y gaea hwnnw'n galed iawn a'r eira trwchus yn cwato olion traed ei fam. Ar gyrion y pentre roedd car Rover gwyrdd wedi sglefrio oddi ar yr hewl a'r perchennog wedi ei adael.

'Dylen ni ddyweddïo,' sibrydodd yn ei glust.

Ers i'w fam ddiflannu roedd bywyd yn aml fel cerdded i mewn i stafell oedd yn llawn o bobol ddierth.

Dros gyfnod dirywiodd ei waith ysgol a chafodd ei fwlio'n ddidrugaredd yn yr ysgol. Y gosb fwya am fod yn wahanol oedd tri o blant yn dala ei ben i lawr y tŷ bach tra oedd un arall yn tynnu'r dŵr.

Am sbel trodd ei feddwl yn ogof lle na allai golau dydd dreiddio, lle'n llawn corrod, clêr a llygod. A phob nos yn y gwely, byddai'n cyrlio lan mewn hanner cylch o hunandosturi. Babi yn y groth. Mochyn cwta dan fys direidus plentyn.

Hyd yn oed nawr, achau ar ôl y digwyddiad, bob bore yn syth ar ôl dihuno, golchai'r amheuon o gornel i gornel ym mad sigledig ei feddwl.

Dyw Grant ddim yn siŵr beth ddigwyddodd nesa. Mae'n cofio hi'n aros yn ddisgwylgar a fe'n dweud dan ei wynt 'Rwy'n flin achos 'sdim byd i ga'l.' Mae'n cofio hi'n sgrechen nerth ei phen, y drws ffrynt yn agor a'r gwynt oer yn hyrddio i mewn fel llanw.

Mae'n cofio troi'n ôl a gwynto'r perarogl Ffrengig yn y stafell. Yr un perarogl. Ôl ysgafn fel brith gof. A'r llenni'n chwyddo fel bola clown.

Sgidie trwm ar wydyr

O dan wyneb y dre gysglyd ym Mhowys mae'r bobol leol yn gwybod hanes pawb, ar wahân i fi. Fi oedd yr ola i wybod.

Am ddeg nos Sadwrn mae pedair rhes o ddynion cefnsyth o flaen y bar yng *Nghlwb y Lleng Brydeinig* tra bod dyn byr, saith deg oed ag ysgwyddau sgwâr yn twrio, yn hwpo ei hun i'r bar heb ymddiheuro ac yn gwenu pan mae rhai'n conan eu bod nhw wedi syrnu eu cwrw. 'Sneb yn herio Dan Anzio, y cadeirydd – yr unig un yn y sir i ennill y Groes Filwrol. Mae golwg fod hawl 'da fe i goncro'r byd yn ei lygaid.

Mae'r Clwb yn lle da i ga'l hwyl, i ddianc rhag problemau gartre, yn enwedig i dad sengl all fynd yn niwrotig wrth godi merch yn ei harddegau. Ro'n i'n becso am Mari. Wrth gwrs, dyw hi ddim yn ras geffylau achos mae pob merch yn datblygu yn ei ffordd ei hun.

Arna' i oedd y bai efallai am fod yn oramddiffynol yn absenoldeb ei mam, yn ofni unrhyw beth a allai ddifa planhigyn tyner – llwydrew, adar, pryfed. Roedd digon ohonyn nhw i ga'l. O'n i'n ffaelu deall pam oedd hi'n hala cymaint o amser yn ei stafell wely yn gwrando ar fiwsig Chopin, miwsig trymaidd fel tywydd cyn storm.

Pan o'n i'n ugain oed ro'n i mewn twll, heb gyfeiriad, ond diolch i wasanaeth milwrol am ddwy flynedd yn Malaya, ces i sail ar gyfer gweddill fy mywyd.

Dyna oedd y peth gorau iddi. Heb angor roedd y cwbwl ar chwâl, fel meddwyn yn siglo ar bafin. O flaen y teledu cyn y Nadolig closion ni at ein gilydd wrth ddwlu ar luniau oedd yn rhoi sicrwydd – camu araf, rhythmig milwyr coch yn hebrwng arch llawn blodau.

Doedd hi ddim eisiau siarad yn y car ar y ffordd i lawr

i neuadd y pentre ond addawodd Dan gadw golwg arni. Roedd dwsin o gadéts newydd yno. Pan gaeodd Dan y drws ces i deimlad rhyfedd. Paid â bod yn ddwl, meddyliais i; mae osgo Dan a'i ffurfwisg yn ennyn parch, ac mae ei lygaid glas yn rhy glir a'i ewinedd yn rhy lân.

Yn y car ar y ffordd yn ôl i'r tŷ roedd hi fel merch newydd.

'Mae'r ymarferion yn ffantastig, Dad.'

'Doedd yr hen Dan ddim yn llawdrwm, te?'

Chwarae teg iddi am fentro, meddyliais. Roedd wedi ca'l amser caled yn yr ysgol, y plant eraill yn galw enwau arni am fod ei mam wedi gadael. Ar waetha hyn, cafodd ei dewis i ganu'r fiolin yn y Gerddorfa Ieuenctid. A'r noson 'ny yn Aberhonddu yn syth ar ôl y gyngerdd, cofleidiais hi ar risiau'r neuadd; roedd fel dod o hyd i ddarn o aur mewn rwbel.

A phob tro rwy' wedi teimlo'n isel yn ddiweddar, rwy' wedi troi'n ôl at yr eiliad honno, ei sgleinio yn fy meddwl, ei gosod yn garcus mewn cas amgueddfa cynnes.

Daeth Mari mas o'i chragen. Yn yr haf synnodd y cymdogion fod neb yn yr un cae â hi o ran egni a brwdfrydedd. Yn y bôn, ro'n i'n ddiolchgar i'r fyddin am ei hwpo i'r pen.

Ym mis Medi cynhaliodd y Clwb ei ginio blynyddol yn y *Malsters*, plas rhwng Aberhonddu a Llanfair ym Muallt. Er bod y ffowlyn yn flasus, hon oedd y noson waetha erioed yn hanes y Clwb. Yn gynta, roedd y siaradwr gwadd, menyw o was sifil o'r Weinyddiaeth Amddiffyn, mor ffurfiol â'i siwt llwyd.

Yn ail, ailgreodd Dan ei gamp ar draeth Anzio ond heb roi rhybudd i neb ymlaen llaw. Y goes ffowlyn oedd y bom llaw, a'r tri chogydd o Sais oedd y tri milwr o'r

Almaen. Gadawon ni â'n pennau'n isel.

Pan gyrhaeddais i nôl am un y bore, roedd golau ymlaen a Mari'n llymeitian coffi du. Dodais y tecil arno.

'Ti'n iawn?'

'O's raid ufuddhau i orchymyn pawb?'

'Wel, mae'n dibynnu ar dy gydwybod.'

'Pwy fath o ateb yw hwnna?'

Ymddeolodd Dan yn y Cyfarfod Blynyddol yn Nhachwedd. Yn y stafell bwyllgor lle roedd lluniau o'r Teulu Brenhinol yn amlwg, talodd Ted Nicholas, yr ysgrifennydd, deyrnged iddo am ei gyfraniad arhosol. Eisteddai Dan yn ôl yn ei gadair fawr, bren, yn bolaheulo yn y clod. Pan ofynnodd Ted am enwebiadau, edrychodd pawb arall ar y wal neu drwy'r ffenest. Sibrydodd Dan yn ei glust a throdd ata' i.

'Na,' wedais i. 'Mae'n ormod o gyfrifoldeb.'

''Sneb yn fwy teilwng,' meddai Dan.

Cytunodd pawb. Ro'n nhw i gyd yn ei afael.

Dwi ddim yn cofio beth ddigwyddodd ar ôl deg o'r gloch; roedd yn noson fawr, y cwrw chwerw'n llifo. Chwarddon ni am y troeon trwstan a gawsom yn jyngl erchyll Malaya a canon ni'r hen ganeuon masweddus oedd yn ein cadw'n gall pan oedd y byd ar chwâl. Ro'n ni fel hen ryfelwyr yn addoli hen dduwiau, mewn byd oedd yn newid yn ofnadwy o sydyn. Bore trannoeth, llais arwynebol, slic y cyflwynydd radio ddihunodd fi.

Daeth Dan i'r Clwb yn fwy aml ar ôl ymddeol, a'i ffrind newydd oedd Simon Stacey o Newcastle oedd newydd symud i'r dre. Roedd craith ar ei foch chwith ac roedd yn dwlu adrodd straeon ffiaidd am ei anturiaethau yng Ngogledd Iwerddon.

Un nos Sul, roedd y ddau'n eistedd yn gynllwyngar yng nghornel y Clwb wrth y ffenest tra oedd yr hanner dwsin arall yn sgwrsio'n hamddenol wrth y bar. Sylwais fod llais Simon yn gyffro i gyd a bod llygaid Dan yn pefrio. Gwrandewais yn astud.

Ddwy flynedd ynghynt roedd Simon mewn cyrch ar dŷ yn y Falls Road, Belfast, am bedwar y bore. Nid oedd y mab deunaw oed yr oedd y fyddin yn chwilio amdano yno, ond cafodd y milwyr dipyn o hwyl. Dihunon nhw'r fam a dodi blaen dryll yn ei cheg a gorchymyn iddi ei gusanu a'i sugno.

Llusgon nhw hi a'i gwthio i lawr i'r gegin o flaen cwpwrdd llestri. Aeth y fam ar ei phedwar a gweddïo. Gofynnodd y Sarjant beth yr oedd hi'n fodlon ei gwneud.

'Unrhyw beth,' meddai'n dawel a'i llygaid yn dal ar gau.

Ar ôl seibiant hir, agorodd y Sarjant y ddrâr top a chydio'n chwareus mewn rhywbeth wedi ei lapio mewn hen bapur coch.

'Peidiwch, plîs . . . '

'Pam?'

Rhwygodd y Sarjant y papur tyner a thaflodd lun bach mewn ffrâm ddu ar y llawr, llun o ferch yn gwisgo dillad gwyn bedydd, wedi ei dala mewn eiliad sanctaidd.

Roedd y ferch wedi marw ar ôl i gar ei tharo tu allan i'r tŷ y diwrnod ar ôl y bedydd. Roedd hi wedi rhedeg mas yn sydyn i ôl ei phêl, a hwn oedd yr unig lun ohoni; roedd y fam wedi gwerthu ei dillad, ei llyfrau, ei bag ysgol a'i chwaraeydd recordiau.

Yna yn y tŷ yn y Falls Road, digwyddodd rhywbeth na allai hyd yn oed Simon ei ddisgrifio. Wrth adrodd ei stori, chwarddodd Dan yn afreolus. Yn y Falls Road roedd chwerthin y milwyr yn dân ar groen y fam. Wrth iddi fynd i'r ysbyty meddwl ymhen mis, yr unig sŵn yn ei chlustiau oedd sgidie trwm ar wydyr.

Yn y cyfamser, sylwais i ddim ar beth oedd yn digwydd i Mari. Ro'n i'n trial bod yn gydwybodol yn fy swydd newydd fel yr oedd Dan wedi bod. Ymgollais yn llwyr yn y gwaith, cadeiriais gyfarfodydd, trefnais ddigwyddiadau, yr holl waith papur, a rhoi cyngor i aelodau mewn angen. Es i'n gaeth i'r holl beth. Tan y noson ar ddiwedd Ionawr yn y car.

'Dwi ddim yn mynd yn ôl i'r lle 'na.'

'Pam?'

'Mae'n hala'r cryd arna' i.'

Wrth gerdded yn dawel o'r car i'r tŷ, meddyliais am Dad. Beth fyddai wedi ei ddweud wrth ei blentyn? Wel, eistedd yn y gadair siglo yn y gegin, siŵr o fod, tynnu mas ei bib, asesu'r broblem yn glou a chynnig ateb. Dyna oedd ei ddawn, a gwneud hynny heb foesoli, a jôc ysgawn yn goron ar y cyfan.

Ond pan driais i ddodi llaw ar ei hysgwydd yn y gegin, roedd golwg ryfedd yn ei llygaid. Ro'n i wedi gweld yr olwg unwaith o'r blaen pan oedd hi'n ddeg yn gwylio rhaglen natur – pan welodd hebog yn glanio ar wennol, a'i adenydd yn ymchwydd o rym.

Fy mhoeni i wnaeth Dan wrth far y Clwb y noson 'ny.

'Dyw e ddim yn ddiwedd y byd. Pwl yw e, wnaiff e ddim para am byth.'

Ni aeth Mari'n ôl i neuadd y pentre, a fi oedd yr un oedd yn teimlo'n lletwith, yn gorfod gwneud esgusodion wrth bobol y Clwb. Gormod o waith cartre'. Mae'n canu yn y côr. All hi ddim gwneud popeth.

Ac yna dechreuodd y sibrydion. Dan oedd tu ôl iddyn nhw, yn dweud nad oedd ganddi ddyfalbarhad, ei bod yn ddylanwad drwg ar weddill y criw. Dywedodd fod pawb wedi mynd o nerth i nerth ers iddi adael.

Yr hyn oedd yn fy ngwylltio i oedd nad o'n i yno i

amddiffyn fy merch. Aeth pethau o ddrwg i waeth. Erbyn y diwedd, fi oedd wastad yr ola i gael peint wrth y bar. Byddai pobol yn troi cefn arna' i ac yn siarad â rhywun arall.

Es i i yfed yn *Yr Alarch Wen* yn yr Heol Fawr. Bob nos, cysur efallai. Roedd rhywbeth mawr ar feddwl Mari, ond doedd hi ddim yn fodlon trafod, a mwya caredig o'n i, mwya stwbwrn oedd hi. A finnau fel ditectif ifanc yn ymchwilio i lofruddiaeth erchyll ond ddim yn gwybod ble i ddechrau chwilio am gliwiau.

Un nos Sul ro'n i'n pwyso wrth far y lolfa am hanner nos. Daeth Dan a Simon i mewn i'r bar a sefyll gyferbyn â mi. Gallwn eu gweld drwy'r alcof. Roedd Simon ynghanol stori a Dan yn grac am ryw reswm. Gwrandewais yn astud.

Roedd stori wedi bod mewn papur tabloid y bore hwnnw, ond mynnodd Dan fod y newyddiadurwr wedi ei chreu er mwyn bod yn syfrdanol. Na, meddai Simon. Gofynnodd y landlord oedd tu ôl y bar i'r ddau dawelu.

Cyhuddodd Dan Simon o ddibynnu ar ddychymyg yn lle ffeithiau. Roedd e wastad yn addurno'i straeon, meddai Dan. Na, meddai Simon, roedd e'n nabod milwr yn y gwersyll lle roedd y drosedd wedi'i chyflawni, ac roedd y milwr wedi cadarnhau fod y ffeithiau'n gywir.

Cynigiodd Simon beint iddo. Gwrthododd Dan, gan edrych ar ei watsh, a dododd ei got fawr ddu arno, ond cydiodd Simon yn ei ysgwydd a'i atal rhag symud.

'Cafodd gwerth deng mil o bunnau eu dwgyd mewn pum mlynedd, cofia. Bwyd, drylliau, bomiau . . . '

'Mae cnoc arnat ti.'

'Ti'n gwbod shwd dalon nhw fe? Un nos yn ddirybudd, stopion nhw bawb oedd yn gadael y gwersyll – pawb.'

'Dyw pethe fel hyn byth yn digwydd 'achan.'

'A ti'n gwbod pwy oedd e? Y cyrnol, y blydi cyrnol. Meddylia.'

Yfais y peint y syth. Pan gerddais i mewn i'r bar, roedd Dan ar ei ffordd i'r tŷ bach. Edrychais i drwyddo. Trodd ei lygaid fel nodwydd yn symud pan mae peiriant yn torri.

* * *

Mae distawrwydd y dre'n wahanol, yn hollol fud. Mae pobol wedi cael eu hurto; yn y clwb, medden nhw, mae dynion yn siglo'u pennau, yn sibrwd yn lle sgwrsio.

Erbyn hyn, mae Mari'n siarad ond yn ailagor ei chlwyfau, yn gorfod ailadrodd hyd syrffed yr un stori hir wrth ei chyfreithiwr, ei meddyg teulu a'i seiciatrydd, fel dadwisgo o flaen pobol ddierth.

Y tro cynta ro'n i'n amau fod rhywbeth yn bod, wedais wrth Mari y gallen ni ddod dros hyn wrth lynu at ein gilydd fel teulu. A phwy a ŵyr? Gallen ni gael nerth o rywle. Edrychai fel petai wedi ei dala mewn gwe.

Pan gas Dan ei restio, ro'n i'n mwynhau ffilm rhyfel yn y tŷ am Dunkirk, ac yn meddwl am y cilio i gael cyfle arall i daro'n ôl. Landlord *Yr Alarch Wen* ffoniodd. Ro'n i moyn lladd Dan – demsghil arno fel sefyll ar falwoden, a chwerthin wrth glywed y gragen yn chwalu.

Yna daeth Mari yn ôl amser cinio. Wrth wylio'r teledu, dywedodd yn ddidaro ei bod hi'n actio yn nrama'r ysgol. Da iawn, meddyliais i. Byddai'r profiad yn help i leddfu ei lo's.

'Dere 'ma.'

'Paid.'

'Ond fi yw dy dad di?'

'Paid â dod yn agos ata' i . . . fyth 'to.'

Dyw cywilydd ffaelu amddiffyn fy merch ddim yn ddigon. Mae gwydr cas yr amgueddfa wedi ei chwalu, a thwll anferth, oer yn gegagored. Duw a ŵyr ble mae'r darn o aur.

Croesi draw

Awst. Porthladd Plymouth am ddeg o'r gloch y nos. Mae'r teulu'n aros i fynd ar y bad i Caen. Ar y cei mae pum rhes o geir yn aros ac un rhes o garafanau.

Yng nghefn y car, mae'r groten wyth oed yn edrych ymlaen at fynd ar y bad am y tro cynta. Yn gwrthod mynd i gysgu.

'Beth sy'n digwydd fanna?'

'Ble?'

Mae'r groten yn pwyntio at ddyn tal ar y dde wrth ochor ei gar, dyn sy' ddim yn gwenu.

'Os yw car yn llawn o bethe drwg, maen nhw'n ei stopo,' medd Dad.

'Bydd y gyrrwr yn mynd i'r carchar?'

'Bydd.'

'Am amser hir?'

'Am amser hir.'

'Ti wedi blino?' gofyn Mam.

'Na.'

'Ti wedi.'

Mewn chwarter awr mae Dad yn edrych ar ei watsh ac yn tapio'r olwyn llywio â'i fysedd. 'Sdim un o'r rhesi'n symud. Erbyn hyn, mae'r groten yn ochneidio. Dyw hi ddim eisie whare gemau na gwrando ar gasét Eden. Ond mae Mam wedi ca'l syniad.

'Ti'n gweld y seren?'

'Odw.'

'Gran yw honna.'

Yna mae'r groten yn pwyntio.

'Un arall.'

'Granpa.'

Saib. Dim symudiad. Mae rhai o'r gyrwyr yn diffodd

eu ceir.

'Beth maen nhw'n 'wneud, Mam?'

'Pwy, y bobol?'

'Na, y sêr.'

'Wincio arnon ni.'

Mae Dad yn cynnig mynd am dro. Na, medd Mam. Gwell peidio rhag ofon bod y ceir yn symud.

Y tro hwn mae llais y groten yn uwch.

'Seren arall Mam.'

'Tad-cu.'

'Bydd Mam-gu'n mynd i'r un seren â Dad-cu, Mam?'

'Siwr o fod.'

Saib hir.

'Byddi di'n mynd i'r un seren â Gran?'

Mae un rhes yn symud, ceir yn tanio, a gyrwyr yn cerdded ar frys yn ôl i'w ceir.

'Byddi di, Mam?'

'Ni'n symud,' medd Dad.

'Beth sy'n bod, Mam?'

'Cyn hynny bydd cannoedd o deithiau fferi i Lydaw,' medd Dad.

'Ti'n iawn, Mam?'

'Mae Mam yn iawn,' medd Dad. 'Wedi blino walle.'

'Dim ond gofyn cwestiwn o'n i . . . '

'Edrych ar y bad, Carys. Edrych ar faint y bad . . .'

Croesi ffin

Mae dyn mor ddyfeisgar. Hyd yn oed ar ôl y rhyfel daethon ni o hyd i ffyrdd o ladd ein gilydd.

Awstria, 1945. Roedd yn wyrth am fod y gynnau mawr yn segur fel trenau mawr gwyllt wedi sefyll yn stond. Ar lan llyn llonydd bolaheulai deuddeg milwr Platŵn A a B, gan freuddwydio am lanio mewn porthladd pell ac ailgydio mewn cariad neu wraig. Ar gae cyfagos, roedd y gweddill yn chwarae gêm ddiofal.

'Mae'r haf yn dod,' meddai Harri â'i fraich dde'n hysio prop araf.

'Haul y gwanwyn, gwaeth na gwenwyn,' meddai Dyfrig wrth smocio'i bib.

Athroniaeth oedd pwnc Dyfrig cyn i'r rhyfel ei rwygo o groth prifysgol. Diflannodd ei ddamcaniaethau'n sydyn yn uffern Anzio yn yr Eidal. Y glanio ar y traeth a Jams, ei bartner gorau ers dyddiau ysgol, yn gorff wrth ei ochor o fewn ychydig o funudau. Wrth i'r bwledi dasgu am ei ben, cofiodd y Rhingyll yn gweiddi ''Sdim byd yn haws, bois' cyn iddo fe gael ei saethu'n farw.Yr eiliad honno gofynnodd Dyfrig i'w hun beth yr oedd yn ei 'neud yno.

Y peth calla' wedyn oedd dala'n dynn yn nannedd y storm. Erbyn hyn, roedd y diawliaid yn ei ben wedi dofi, a'r lluniau o freichiau, coesau a phennau toredig yn llai manwl.

Roedd yn wyrth fod y rhyfel ar ben. Allai Harri ddim credu fod llonyddwch yn para mor hir, ac roedd rhaid ei drin yn dyner. Ceisiodd feddwl am gymhariaeth, ond yr unig ddelwedd a ddaeth i'w feddwl oedd cario bom a'i osod yn garcus.

O'r diwedd, teimlai Dyfrig yn well achos yn raddol roedd yn golchi bant y llysnafedd oedd wedi glynu wrth ei ddillad a'i feddwl.

'Ti'n edrych ymla'n at fynd yn ôl?,' gofynnodd Harri.

Anwybyddodd Dyfrig y cwestiwn. Yna daeth y wybodaeth yn raddol. Doedd ei wraig ddim wedi sgrifennu ato ers dechrau'r rhyfel . . . roedd 'na sôn ei bod hi'n cario mla'n â milwr o America . . . un tywyll hefyd.

'Mae hi'n dalp o ragfarn . . . â haenen waraidd . . . fel crofen pwdin reis.'

'Nagy'n ni i gyd?'

* * *

Ar ford dderw hir yn y plas, dadrowliodd y Cadfridog fap o Awstria ac arno'r ardaloedd goresgynedig – yr un Brydeinig yn goch, yr un Americanaidd yn las a'r un Rwsiaidd yn ddu. Roedd saethau melyn yn pwyntio i gyfeiriad yr ardal ddu.

'Dyw'r dasg ddim yn hawdd,' meddai. 'Ond mae'n rhaid i'n milwyr ni wylio'n niwtral. Dim mwy. Dim llai.'

'Pam y'n ni'n gwneud hyn?,' gofynnodd y Capten ifanc.

'Rhaid cadw Wncwl Joe'n hapus.'

Roedd y Cadfridog yn gobeithio bod ei eiriau'n swnio'n ddidaro, ond tynhaodd ei dei yn ystod y saib hir.

* * *

Edrychodd Dyfrig ar ei watsh unwaith eto. Chwech o'r gloch. Damo. Bydden nhw'n hwyr yn gadael y gwersyll. Ond beth allen nhw 'neud? O flaen rhes o ddwsin o lorïau safai'r milwyr, ac o flaen y milwyr heidiai tri chant o ffoaduriaid at ei gilydd, eu llygaid mor oer â'r gwynt oedd yn codi o'r dwyrain. Yn y llacs, sylwodd Dyfrig ar fodrwy a chadwyn.

Dyn tal, sgadenyn o ddyn, oedd arweinydd y ffoaduriaid.

'Gwrandewch,' meddai Dyfrig. 'Ry'n ni'n mynd â chi adre i Rwsia Fawr Sanctaidd. Bydd croeso arbennig. Chi'n deall? Ry'n ni'n gwneud cymwynas â chi.'

Trodd yr arweinydd ei gefn a cherdded i gefn y dorf. Yn araf, cerddodd offeiriad mewn gwisg ddu o'r cefn, gan godi ei groes uwch pen Dyfrig fel marchog yn codi tarian. Doedd Dyfrig ddim yn gwybod beth i 'neud.

Yn sydyn, trawodd dryll dalcen yr offeiriad a llifodd gwaed i lawr ei foch. Ymunodd tri milwr yn y sgarmes. Yna, fesul deuddeg, cerddodd y ffoaduriaid yn araf i mewn i'r lorïau. Gwelodd Dyfrig un yn demshgil ar groes yr offeiriad yn y llacs.

Ar y tyle tu ôl y gwersyll roedd y Cadfridog yn edrych drwy ei sbienddrych. Lori Dyfrig oedd yr un gynta i gychwyn, a sylwodd y Cadfridog ar ddau ffoadur yn y cefn yn troi coleri eu cotiau. Roedd cysgodion yn cau am y cwm. Teimlai'r Cadfridog chwys yn diferu ar ei dalcen a gobeithiai ei fod wedi cynllunio hyd at y manylyn ola.

* * *

Yn y bore bach pan stopion nhw am hanner awr wrth waelod mynydd, cynigiodd Dyfrig sigarét i Karl, cawr o ddyn, ei ddwylo fel rhofiau, y math o ddyn a allai ddala dau beint mewn llaw.

'Pam wnewch chi ddim gwenu? Y diawliaid lwcus, byddwch chi gartre cyn ni.'

'Chi'n meddwl?'

Dywedodd Dyfrig fod raid iddo tsiecio'r olew yn yr injan. Cydiodd Karl yn ei fraich yn dynn. Dywedodd rywbeth yn ei famiaith ac, er nad oedd Dyfrig yn deall gair, roedd llais Karl fel nodau gwaelod cello.

Yn y prynhawn, dringon nhw fynydd serth. Prin y gallai'r lori ddala ei phwysau, ac roedd hi fel hen geffyl yn tynnu pwn. Pan wasgodd Dyfrig ei droed dde ar y sbardun, gweryrodd y lori, gan hala'r cwningod i ffoi ar draws cae.

Edrychodd Harri ar yr Alpau yn y pellter oedd yn urddasol ond yn frawychus o uchel. Meddyliodd am y syniad unwaith eto, a cheisiodd atgoffa ei hun fod yr holl beth yn wir. Ni fyddai raid i neb ladd eto. Roedd y diwedd wedi dod. Roedd yn wyrth, a'r syndod mwya oedd bod ei deimladau, oedd wedi eu rhewi gan y rhyfel, yn tanio'n raddol fel injan ar fore oer.

Sgrechiodd y gêr wrth i Dyfrig newid i lawr. Ar ben y mynydd roedd yr hewl yn gul ac yn droellog ond, yn waeth na hynny, doedd dim ffens. Felly gallai'r llithriad lleia fod yn farwol. Un droedfedd at yr ymyl. Lledodd ofon drwy gorff Harri fel blanced yn estyn dros gorff.

'Gan bwyll, y diawl dwl.'

'Mae rhywbeth yn bod.'

'Oes, myn yffarn i.'

'Na, bachan. Eu llygaid nhw. Ti wedi sylwi?'

Ar ôl teithio hanner can milltir stopion nhw i gael hoe mewn pentre bach wrth ochor mynwent. Safai'r Rwsiaid mewn rhes ar ochor yr hewl, eu llygaid mor oer â bysedd calch. Doedd neb yn siarad. Pob un yn prysur bwyso tra oedd cymylau bregus yn dianc ar frys.

Am ddau y bore pan oedd Dyfrig yn cael mwgyn wrth ochor y lori, clywodd sŵn. Gollyngodd gaead y lori i lawr a chyfeiriodd olau ei dortsh i mewn i'r cefn. Gwenodd. Roedd Karl yn sgrytian ei ddannedd, ac er i Dyfrig ei siglo, doedd e ddim yn cyffroi. Pwysai'r Rwsiaid yn erbyn ei gilydd fel sachau o dato. Pan aeth Dyfrig yn ôl i'w gab, ni allai gysgu am hanner awr am fod y sŵn yn ei ben fel ci'n cnoi asgwrn.

Cyrhaeddon nhw'r ardal Rwsaidd am saith y bore. Ar ymyl yr hewl, cododd ffermwr canol oed, bochgoch ei gap brown. Cododd Harri ei law. Ro'n nhw ar y gwastatir. Pedwerydd gêr drwy'r amser. Gosgordd drefnus, araf.

* * *

Y llannerch oedd diwedd y daith – filltir o'r hewl fawr brysur. Roedd fale bach wedi cwympo ar y llawr ac adar wedi eu pigo a'u troi'n bwdwr.

Ar ôl i'r lorïau yrru i mewn yn araf a pharcio'n drefnus, cafodd y caeadau eu gollwng, a llifodd cynnwys llwyd mas; brathai'r haul canol dydd eu llygaid. Doedd dim siâp ar ble roedd y Rwsiaid yn sefyll. Gwenodd Dyfrig am fod yr holl beth fel trefniant munud ola.

I Harri, yr hyn oedd ar goll oedd y cyffyrddiadau dynol. Doedd dim salíwt rhwng ein milwyr ni a'u milwyr nhw, dim siglo llaw na dim rhannu jôc. Dim oedd dim. Roedd wynebau eu milwyr fel delwau.

Wrth yrru'n ôl, roedd y lori'n ysgafn ac yn wag. 'Mae'n dda cael eu gwared nhw,' meddai Harri'n bryfoclyd.

Roedd meddwl Dyfrig yn bell nes iddyn nhw glywed y sŵn. Breciodd yn sydyn ac edrychodd y ddau drwy'r ffenest dde. Cododd haid o frain uwchben y llannerch a gwasgaru fel shrapnel. Dychmygai Dyfrig y bwledi'n rhwygo cig a chnawd. Cydiodd yn y brêc llaw. Cydiodd hen ofon ynddo – ofn oedd i fod i ddiflannu am byth.

Mewn awr byddai'r plas yn fwrlwm, y Cadfridog yn

gwenu wrth ddala gwydraid o sieri, a'i lygaid ar y teipydd a'r neges fyddai fod tasg anodd wedi ei chyflawni'n wyrthiol. Ond byddai llaw y teipydd yn gwingo fel llaw dyn sy'n marw.